1,25
32

Robert Hughes (Sydney, 1938) studeerde architectuur in Sydney. Hij heeft veel boeken op zijn naam staan, waaronder de bestsellers *Barcelona* en *De fatale kust*. Hughes werkt als kunstcriticus voor *Time Magazine* en woont in New York City.

D0892507

Robert Hughes

Barcelona
de grote verleidster

Vertaald door Kees Mollema

Rainbow Pockets
National Geographic

Rainbow Pockets® worden uitgegeven door Muntinga Pockets,
onderdeel van Uitgeverij Maarten Muntinga bv, Amsterdam

www.rainbow.nl

Uitgave in samenwerking met
National Geographic Nederland • België

De National Geographic Society is een van de grootste wetenschappelijke en educatieve non-profitorganisaties ter wereld. De Society is
in 1888 opgericht ter vergroting en verspreiding van geografische kennis,
en geeft een beeld van de wereld door middel van haar tijdschriften,
boeken, televisieprogramma's, videobanden, kaarten, atlassen en
interactieve media. *National Geographic Magazine*, het officiële
tijdschrift van de Society, verschijnt in 19 talen en wordt maandelijks
gelezen door 40 miljoen mensen in alle landen van de wereld. Het
National Geographic Channel bereikt 140 miljoen huishoudens in 23
talen in 141 landen, waaronder de Verenigde Staten. De Society heeft
ruim 7000 onderzoeksprojecten gefinancierd.
Voor meer informatie: www.nationalgeographic.nl.

Oorspronkelijke verschenen in de Verenigde Staten in de serie National
Geographic Directions als: *Barcelona the Great Enchantress*
© 2004 Robert Hughes
© 2004 Nederlandse vertaling Uitgeverij Sirene bv, Amsterdam
Omslagontwerp: Studio Bunder
Foto voorzijde omslag: Corbis
Druk: Bercker, Kevelaer
Uitgave in Rainbow Pockets juni 2006
Derde druk augustus 2007
Alle rechten voorbehouden

ISBN 978 90 417 0617 1   NUR 508

Voor Daisy, die het hoogste liefheeft
als ze het ziet.

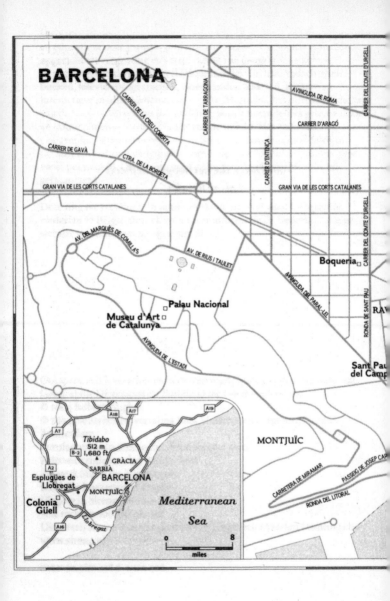

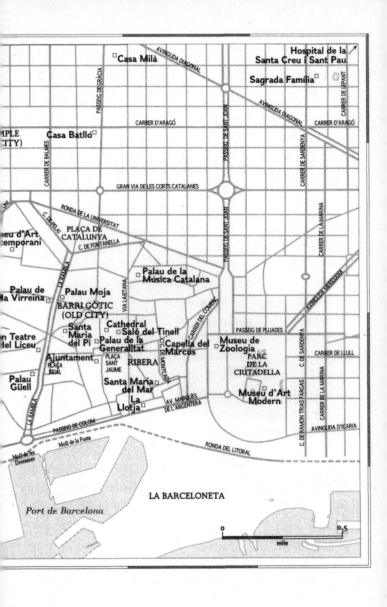

HOOFDSTUK EEN

De eerste keer dat ik Barcelona bezocht was bijna vier decennia geleden, in 1966. Dat kwam omdat ik een verwaande en slecht geïnformeerde schreeuwlelijk was. Ik sprak maar weinig Spaans en geen Catalaans, maar ik had me op een feest in Londen, onder invloed van verschillende stimulerende middelen, sterk gemaakt voor de grootse en al lang overleden Catalaanse architect Antoni Gaudí. Ik had wat theorieën, afgekeken van Franse schrijvers, over de affiniteit van Gaudís werk met het surrealisme. (In werkelijkheid heeft zijn werk geen enkele waarneembare affiniteit met het surrealisme. Sterker: het staat lijnrecht en fundamenteel tegenover alles waarin de surrealisten geloofden en wat zij propageerden. Maar ja, het was Londen in de jaren zestig en niemand vroeg je iets te bewijzen. Een onzinnige babbel voldeed.) Toen ik op stoom kwam met mijn theorie, of thema's, als je ze zo kunt noemen, zag ik dat een buitenlands uitziende man geamuseerd naar me luisterde. Hij was jong, maar ouder dan ik, rond de dertig. Hij was gladgeschoren, maar had het donkere, getaande uiterlijk van een zigeuner. Zijn gepommadeerde haar, lang van achteren, viel in vette krullen over een stijve, gestreepte kraag. Hij droeg een bruin pak, in de kleur van tabak en zeer elegant, hoewel wat ouderwets van snit, het jasje ongetailleerd en dichtgeknoopt, als een compleet contrapunt van de uitwaaierende en flodderige kledingstukken of de zelf geborduurde en opgelapte jeans die de andere mannen in de kamer droegen. Een handgemaakte Turkse zakdoek hing achteloos uit zijn pochetzakje. Hij droeg een net overhemd en zijn schoenen waren eveneens duidelijk handgemaakt en omsloten zijn kleine en vogelachtige voeten als glimmende portefeuilles. Hij rookte een Players zonder filter – ongeveer de vijftigste van die dag, zoals ik later zou leren.

'Het is goed om een fan van Gaudí te ontmoeten in Engeland,' gromde hij met een zwaar accent, 'zelfs al weet je bijna niets over hem.'

En zo ontmoette ik de man die, voordat de avond om was, mijn vriend zou worden en dat veertig jaar later nog steeds is. Mijn beste en oudste vriend, de Catalaanse beeldhouwer Xavier Corberó. Xavier vergaf me mijn gezwam over een onderwerp waar ik niets van afwist. Mij kon immers amper worden verweten dat ik nooit in Barcelona was geweest. 'Maar weinig mensen zijn er wel geweest,' zei hij afkeurend, met de ondertoon van iemand die vindt dat de wereld wordt bevolkt door gekken. Maar hij wilde niet dat ik me nog langer voor gek zou zetten en de enige oplossing daarvoor was: zorgen dat ik de werken van Gaudí daadwerkelijk zou gaan zien. Niet alleen de Sagrada Familia – de onvoltooide tempel die iedereen als het hoogtepunt van zijn werk beschouwde, maar die Xavier zeker niet als summum zag – maar ook een aantal van zijn andere gebouwen. Zijn klakkende Catalaanse tong ratelde hun namen en ik stond perplex: ik mag mezelf een kunstcriticus noemen en dat deed ik toen in feite ook al, maar ik had geen van die namen ooit gehoord. Hetzelfde gold voor de verschillende andere Catalaanse architecten uit de art nouveau-periode (van 1870 tot 1920) wiens namen Xavier noemde, en de beeldende kunstenaars, en ga zo maar door. Er was daar, in de schaduw van de Pyreneeen, duidelijk een hoop gebeurd waar ik geen weet van had. Xavier wilde me daarin wegwijs maken, niet zoals een galeriehouder zijn meest geliefde ontdekking aanprijst, maar omdat hij als serieuze Catalaan – een schepsel dat niet verward moet worden met de normale Spanjaard – niet kon verdragen dat iemand zo onwetend bleef over zijn *patria chica*.

Dus ging ik. En kwam na een tijdje weer terug. En ging het volgend voorjaar weer. Ik was gegrepen door de stad, kon er niet wegblijven. Op een keer logeerde ik in een merkwaardig, eens voornaam maar nu vervallen hotel aan het begin van de straat waardoor de tram zich grommend en ratelend omhoogwerkte naar Tibidabo, het uitkijkpunt met zicht over de hele vlakte waarop Barcelona is gebouwd. Dit hotel, hoewel lager gelegen dan Tibidabo, had op het dak een belvédère met een koepel die rijkelijk was versierd met mozaïek in de stijl van rond 1900. Je kon daar op een hete dag zitten en wegdromen, uitkijkend over de stad. Er waren geen andere gasten (ik zag er tenminste nooit één) en een kamer kostte nog geen tien dollar per nacht. Het bed was doorgezakt en uit de kraan kwam een dun straaltje kokend bruin water. Ik dacht dat ik in de hemel was beland.

Maar meestal logeerde ik bij Xavier. Zijn landhuis, een *masia*, stond niet in de stad, maar in Esplugues de Llobregat, dat nog niet door de zuidwaartse expansie van Barcelona was opgeslokt. (Vandaag de dag is dat wel bijna het geval, maar Xavier bezit bijna alles aan het klinkerweggetje waaraan zijn huis ligt, dus zijn masia loopt geen gevaar. Het is een volkomen onverwachte oase van bouwsels uit de zeventiende en achttiende eeuw midden in de eenentwintigste eeuw – een tijdmachine van steen en stucwerk. Het huis draagt de naam Can Cargol (slakkenhuis) en ligt aan een landweggetje boven het dorp. De naam Esplugues betekent 'grotten' in het Catalaans en is afkomstig van het Latijnse woord *speluncas* – en dat is precies wat Can Cargol als kelders heeft: een uitgebreid en kronkelend grottenstelsel, voor opslag en misschien oorspronkelijk wel verdediging, dat diep in de heuvel is uitgegraven door de boeren die er sinds de Romeinse tijd hebben gewoond. Mogelijk dat de onderaardse gangen aan het labyrint van een slakkenhuis deden denken – en dat het huis zo zijn naam kreeg. Maar zelfs toen ik in de jaren zestig in Can Cargol logeerde, heb ik de catacomben nooit helemaal ontdekt, bang als ik ben voor spinnen en duisternis. Alleen God, of misschien Pluto, god van de onderwereld, kan met zekerheid zeggen wat zich onder het huis bevindt. In een van de grotten staat – of stond – een gigantische drukpers, een vettige en stoffige Moloch uit het midden van de negentiende eeuw, waarop in het verleden een lang overleden radicale Catalanist (een Catalaans nationalist) misschien wel anti-Carlistische vlugschriften had gedrukt. Xavier en zijn vrienden – onder wie ik – dronken jarenlang een uitstekende rode wijn, waarvan iemand uit de Penedès hem honderden flessen had gegeven. Omdat hij niet de moeite had genomen om wijnrekken te laten maken, lagen de flessen kriskras door elkaar op de aarden vloer van de catacombe, waar ratten, schimmel en insecten de etiketten tot onleesbaarheid hadden weggevreten.

Can Cargol was een van de weinige overgebleven boerenhuizen van z'n soort in Barcelona – een prachtig voorbeeld van een gebouw dat al sinds mensenheugenis bekend is als *casa pairal* ofwel boerenhoeve. Degenen die bekend zijn met het werk van de grote Catalaanse schilder Joan Miró, zullen de bouwstijl onmiddellijk herkennen: het huis waarin hij opgroeide en dat hij in 1922 schilderde als *De Boerderij*, is zo'n bouwwerk. Ze hebben kleine ramen en een zwaar dak, dat als een flinke plak terracotta op de gigantisch dikke muren steunt, gebouwd om eeuwenlang bandieten en rotweer buiten te houden. De daken hangen over het huis als vleugels en geven daarmee een sterk gevoel van veiligheid en beslotenheid. Het middelpunt van het huis is zowel letterlijk als figuurlijk de *llar de foc*, de open haard (je kunt dit bijna letterlijk vertalen als 'het hol van het vuur'). Dit betreft meestal de hele kamer, waar de boerenfamilie samenkwam, op afbeeldingen steevast in volgorde van leeftijd, van grootouders tot kinderen: een huis in een huis. Xavier woonde in een ander

huis aan het smalle straatje, waarvan hij de sleutel weiger-
de bij te laten maken. Het ouderwetse slot in de voordeur
van Can Cargol kon alleen met een sleutel worden afgesloten. Om je eigen komen en gaan met dat van Xavier af
te stemmen was ingewikkeld, maar meestal hoopte je, als
je er al niet op vertrouwde, dat de oude tandeloze schoon-
maker, mummelend als de bode in *Macbeth*, je binnen of
buiten zou laten.

Toen ik eenmaal aan de Catalaanse tijden was gewend
(geen eenvoudige zaak in een stad waar een etentje niet
vóór halfelf 's avonds plaatsvindt), troonde Xavier me
mee naar plekken waarvan ik wist dat ik ze maar moeilijk
terug zou kunnen vinden. Niet alleen de rommelwinkel-
tjes, niet veel groter dan een gat in de muur, de gotische
kerken waarmee Barcelona zo rijkelijk is bedeeld, of de
donkere restaurants vol luidruchtige *catalanistas*, maar
echte rariteiten: er stond, herinner ik me duidelijk, een
huis te koop dat we bekeken en waar we een plek voor
rendez-vous van rijke toeristen van wilden maken. (Xavier leek precies te weten hoe hij daarvoor aan de meisjes
moest komen.) Het huis was een duister pareltje van het
design van rond 1900. Het meest opvallend, afgezien van
een achtergelaten ebbenhouten wieg, ingelegd met ivoor,
was de enorme glaswand die de *saló* in tweeën deelde, met
gebrandschilderd glas, en panelen ingelegd met de regen-
boogkleurige vleugels van morpho-vlinders uit het Ama-

zonegebied. Die waren er waarschijnlijk voor het plezier van een *indiano* aangebracht, zoals de Catalanen werden aangeduid die naar Zuid-Amerika waren gegaan en fortuinen hadden vergaard met slaven of koffie. Geen van ons beiden had geld. We konden het huis niet kopen en tot op de dag van vandaag heb ik geen idee waar het was. Maar het had de mooiste hoerenkast van Spanje kunnen worden.

Een andere keer bezochten we het kelderatelier van Xaviers overleden vader, een beroemd metaalbewerker en beeldhouwer, die voor hotels in Boston massieve bronzen trapleuningen had gemaakt, enorme lichtmasten voor het Palau Nacional op de berg Montjuïc en zelfs een verguld bronzen tabernakel voor het hoofdaltaar van de kathedraal van Havana. Dit kostbare object werd vlak voor de Cubaanse revolutie verscheept, waardoor de rekening van de oude Corberó onbetaald bleef, wat hem met een eeuwigdurende en permanent brandende haat tegen Fidel Castro vervulde. (Zijn zoon erfde deze haat niet en bleef resoluut apolitiek tijdens de jaren zestig.) De muren van de *taller* waren afgeladen met mallen en modellen van de oude Corberó, een collage zo dik dat er vele onzichtbare lagen achter schuilgingen. Het zag eruit als de grot van Aladdin, maar dan voor decoratieve beeldhouwkunst, het tegenovergestelde van de pure en minimalistische vormen die Xavier uit marmer schiep in zijn studio in Esplugues.

's Nachts bezochten we restaurants, sommige fameus, de meeste verfijnd, maar met een sterk lokaal karakter, waar de intense streekgerechten van de kust en bergen van Ampurdië werden geserveerd, die zo geliefd waren bij Xavier en zijn vrienden, hun vrouwen, vriendinnen en vrouwelijke collega's. Volle kracht vooruit en let maar niet op een teentje knoflook meer of minder. Als Barcelona toen al restaurants voor toeristen had, kan ik me niet herinneren er gegeten te hebben of er ooit ook maar één gezien te hebben. Wat ik me wél herinner, is het nachtleven na de maaltijden, vooral in El Molino, een oud, vervallen theater aan de Parallel, bij de haven. De artiesten, decors, kostuums en *dramatis personae* leken sinds de jaren dertig onveranderd. In een loge, afgescheiden met kleverig uitziende groene fluwelen gordijnen, prettig aangeschoten van een mousserende *cava* die werd geserveerd door een stokoude ober die op de gekke grootvader in *The Munsters* leek, en zonder ook maar een lettergreep te begrijpen van de schunnige Catalaanse teksten, keek ik naar een stereotiep personage dat bekend stond als El Inglés, de Engelsman. Gekleed in plusfour en een stuitend lelijk tweedjasje, even schreeuwerig als dat van Evelyn Waugh, paradeerde hij aanstellerig over het podium, zwaaiend met een houten golfclub en onder instemmend geschreeuw van de bezoekers. Wat hij zei: ik wist het toen niet en durf er niet aan te denken, nu.

Waar zou je anders willen trouwen dan in zo'n stad en tussen zulke mensen? Ik ben drie keer getrouwd, in drie steden. De eerste keer was in 1967, met een Australische, in een jezuïetenkerk aan Farm Street in Londen. Het huwelijk duurde veertien jaar, eindigde in een scheiding en maakte ons voor het grootste deel van de tijd wanhopig en vreselijk ongelukkig. Het tweede duurde ook veertien jaar, maar was met een Amerikaanse en vond plaats in Connecticut, in het rustieke tuinhuis van de schilder Robert Motherwell. Torren en spinnetjes vielen uit het rieten dak boven ons, terwijl we beloofden van elkaar te houden, voor elkaar te zorgen, in voor- en tegenspoed: we waren gelukkig gedurende acht jaar. Maar ook deze verbintenis – hoewel veelbelovend – faalde, omdat ik na acht jaar huwelijkstrouw iemand tegenkwam van wie ik zeker wist dat het de liefde van mijn leven was: een lange, prachtige kunstenares uit Virginia die Doris Downes heette. De onvermijdelijke scheiding was niet gemakkelijk of pijnloos, noch voor mij, noch voor mijn vrouw – en erg duur voor mij. Maar in de herfst van 2001 was de scheiding wettelijk geregeld en waren Doris en ik vrij om te trouwen (weliswaar niet zonder twijfels van haar kant, maar zonder één enkele van mij). *Drie keer is scheepsrecht*, bleef ik mezelf voorhouden en dat is juist gebleken.

Maar we hadden een probleem. Waar moesten we trouwen? Het kon niet in Manhattan, waar ik woonde. Doris en ik zijn niet bepaald sociale dieren. We wilden geen angstaanjagend dure trouwerij en in de financiële blues van na mijn echtscheiding leek alles méér dan een knakworstje en een blikje bier extravagant. Manhattan voelde na 11 september toch al niet als een vrolijke plek om in het huwelijksbootje te stappen. Maar wat de doorslag gaf was dat Doris en ik, met samen drie eerdere huwelijksfeesten achter de rug, de quasi-morele last van het selecteren niet wilden dragen: wie wel uit te nodigen, wie niet, wie zou niet beledigd zijn, wie was echt belangrijk voor ons leven – al die uitputtende beslissingen stonden ons te wachten en we voelden dat we er geen van beiden klaar voor waren. Maar er was een oplossing: Barcelona. Doris gaf niet veel om Barcelona – nog niet – maar ik nadrukkelijk wel. Ik kwam er al meer dan dertig jaar, voor werk of plezier. Ik had tien jaar eerder een biografie van de stad geschreven: geen reisgids of een beschrijving van de geschiedenis, maar meer een poging om de geest van de Koningin van Catalonië op te roepen, een stad die zo weinig zelfs ontwikkelde vreemdelingen destijds kenden. Ik wilde bovendien het verhaal van de ontwikkeling vertellen aan de hand van de geweldige rijkdom aan gebouwen en kunstwerken, en aantonen (noodgedwongen in kort bestek) hoeveel vitaliteit er kon schuilen in een 'provinciale' cultuur; iets wat een natuurlijke aantrekkingskracht had op een schrijver die was opgegroeid in een ander 'provinciaal' land, Australië.

Ik denk dat ik aan geen enkel ander boek zoveel plezier heb beleefd als aan het schrijven van *Barcelona*. Het kostte jaren research en dat leverde lange, diepgaande vriendschappen op. Ik leerde Catalaans te lezen en, hoewel niet vloeiend, te spreken en kreeg kijk op de fantastische en rijke literatuur die in die taal is geschreven: een literatuur die nooit fatsoenlijk in het Engels is vertaald omdat de moeite die dat kost, afgezet tegen de geringe opbrengst, elke uitgever tegenwoordig in de rode cijfers zou brengen. Het schrijven van het boek bracht me in contact met de mensen die de stad bestuurden en met drie opeenvolgende burgemeesters: eerst Narcís Serra, toen Pasqual Maragall (nazaat van een van de belangrijkste *modernista*-dichters van Barcelona, Joan Maragall, 1860-1911), en uiteindelijk zijn opvolger in het *Ajuntament* of stadhuis, Joan Clos. De rechterhand van deze drie burgemeesters was mijn geliefde vriendin Margarita Obiols, minister van cultuur van de socialistische partij in Barcelona, die me door twee mislukte huwelijken had geloodst en vastbesloten was om het derde – en laatste – te laten slagen. En dus – even afgezien van de diplomatieke marathon, veroorzaakt door de labyrintische Spaanse wetgeving die voorschrijft wat *forasters* of niet-Spanjaarden moeten doen, moeten nalaten, moeten verklaren en zo nodig moeten verzwijgen om in Spanje te kunnen trouwen (want trouwen in Spanje in de eenentwintigste eeuw lijkt, voor een buitenlander, even moeilijk als scheiden ten tijde van Franco) – meldden Margarita en Joan Clos ons het heuglijke nieuws dat we toestemming kregen om in Barcelona te trouwen. Niet zomaar ergens in Barcelona, maar in het stadhuis, oorspronkelijk bekend als Casa de la Ciutat ('huis van de stad'), en bovendien zou Joan ons in de echt verbinden in zijn functie als *alcalde*. En niet alleen dát, een en ander zou óók nog eens plaatsvinden in de mooiste en historisch belangrijkste ceremoniële zaal: de Saló de Cent ('zaal van de Raad van Honderd').

De Saló de Cent huisvestte het stadsbestuur van Barcelona, ontstaan op bevel van Jaume i, de grote koning uit de dertiende eeuw die de stad stichtte. Hij stelde een commissie samen van twintig hooggeplaatste burgers, *probi homines* (of in het Catalaans *prohoms*) genoemd, die hem zouden adviseren in bestuurlijke kwesties. De commissie had naast andere bevoegdheden de macht om algemene vergaderingen van burgers te organiseren, een belangrijke stap op de lange en moeilijke weg naar democratie zoals wij die nu kennen. Dit leidde in 1274 tot een systeem van stadsbestuur waarmee Barcelona in feite werd bestuurd, tot de Bourbons in Madrid het aan het begin van de achttiende eeuw afschaften. Een comité van zeven personen, onder wie vijf *consellers*, de burgemeester en een president, stelden een raad van ongeveer honderd representatieve burgers samen. Die werden gekozen uit alle rangen en standen, van stratenmakers en bakkers tot bankiers en machtige handelaren. Hoewel de laatsten in de meerderheid waren in de Consell de Cent, woog de stem van een kleermaker of ketellapper even zwaar als die van een internationaal opererende handelaar in textiel. Sommige Catalanen vonden dit hoogst inconsistent; Jaume Safont, een politiek commentator in de vijftiende eeuw, schreef dat je net zo goed *cabrons* (een uiterst grievend woord dat letterlijk 'mannetjesgeiten' betekent) in de raad kon zetten, in plaats van het smerige gepeupel. Vanuit modern perspectief bekeken was deze aanpak natuurlijk de kiem voor een democratie waarin ieders stem even zwaar telt, lang voordat in enige ander Europees land zo'n

De Saló de Cent binnenin het Ajuntament

radicaal idee werd gelanceerd. De Consell de Cent was veruit de eerste op democratische leest geschoeide raad in Europa en was gebaseerd op het principe dat in een goede en evenwichtige gemeenschap besluiten beter op basis van wederzijds respect genomen konden worden dan op grond van een goddelijk recht. De bekendste politieke uitspraak van het vroege Catalonië werd hier uitgesproken – de unieke eed van trouw die Catalanen en Aragonezen aan de Spaanse koning in Madrid zworen: 'Wij, even goed als U, beloven U, die niet beter bent dan wij, om U te aanvaarden als onze koning en machthebber, mits U onze vrijheden en wetten in acht neemt – maar zo niet, dan niet.'

Dit leek me toen én ook nu nog een volkomen eerlijke en bewonderenswaardige overeenkomst, ook voor een huwelijk. Het was een eer om te trouwen in een zaal die zulke idealen vertegenwoordigde, temeer omdat geen van ons beiden praktiserend christen was (de een afvallig katholiek, de ander afvallig anglicaan, de een atheïst, de ander agnost; beiden niet vies van ceremonieel gedoe, maar kerkbezoek voornamelijk uit interesse voor de bouwkunst). Zelfs tegenwoordig, nu monarchieën voornamelijk worden gezien als ongevaarlijke fossielen, klinken die woorden van de Consell de Cent nog scherp en opwindend: ze roepen het beeld op van een volk dat niet aan zichzelf, noch aan haar identiteit *als* volk twijfelt.

Een volk bovendien dat niet per definitie veel respect opbrengt voor de leiders van andere volken. Catalanen hebben een traditie om het koningschap in het juiste perspectief te plaatsen. Aan de gevel van het Ajuntament hangt een standbeeld van de vijftiende-eeuwse koopman Joan Fiveller. Een beeld van Hercules werd rond 1850 vervangen door zijn beeltenis, als toonbeeld van gemeentelijke macht. Waarom? Omdat, toen hij gemeenteraadslid was, de Castiliaanse koning van Catalonië en Aragon op staatsbezoek kwam, met zijn zoals altijd uitgebreide entourage. Fiveller maakte zich geliefd bij de Catalanen door erop te staan dat de koning en zijn reizende hofhouding belasting moesten betalen over de *bacallà*, de gezouten kabeljauw die ze aten. Daardoor werd hij de onofficiële beschermheilige van een tendens in het Catalaanse politieke leven die geen enkele autoriteit heeft kunnen uitwissen – een soort collectivistisch populisme dat tot uiting komt in burgercomités en stakingen. Zijn eis was geheel en al symbolisch – het is niet waarschijnlijk dat de lijfstoet van de koning zo uitgebreid was dat het eten van belastingvrije kabeljauw de gemeentekas van Barcelona zwaar had belast – maar het principe moest nu eenmaal duidelijk worden gemaakt. Hetzelfde principe gold ook voor de grotere uitgaven. Zoals in 1878, toen de stad een jaar lang donker bleef, omdat de Barcelonezen weigerden een in hun ogen uitbuitende gemeentebelasting op gas te betalen. Zoals in 1951, toen ze het Franco-regime uitdaagden met een tramstaking die de stad wekenlang lamlegde, maar ontegenzeggelijk resultaat had. Historisch gezien hebben Barcelonezen de neiging zichzelf neer te zetten als deelnemers aan machtswisselingen – niet alleen maar als toeschouwers. Ze wilden altijd meer, veel meer, dan alleen maar 'transparantie'.

De Saló de Cent werd rond 1360 ontworpen door de architect Pere (Peter) Llobet en werd in 1373 in gebruik genomen. Ernstig beschadigd door bombardementen tijdens een arbeidersopstand in 1842, werd de zaal herbouwd rond 1880 door de Catalaanse architect Lluís Domènech i Montaner, een grootheid die op een haar na een even opmerkelijke, maar meer traditionele architect is als

Antoni Gaudí. (Gaudí schreef ook in op de ontwerpwedstrijd voor de nieuwe Saló de Cent, maar zijn ontwerp had geen succes en omdat de tekeningen al lang geleden verloren zijn gegaan, hebben we geen idee hoe zijn ontwerp eruitzag.) In het gebouw werden in 1914 wat neogotische versieringen aangebracht, maar de Saló de Cent is nog steeds een van de meest aristocratische ruimtes in Spanje, doordrenkt met geschiedenis en ambitie. De zaal straalt een ceremoniële rijkdom uit, niet in de laatste plaats omdat de muren zijn bekleed met brede strepen rode en gouden zijde – een ridderlijk ontwerp dat is gebaseerd op de *quatres barres* (vier strepen) van de Catalaanse vlag. Hoe die op de vlag terechtkwamen? Naar verluidt door de strepen die Lodewijk de Vrome, zoon van Karel de Grote, met zijn vingers maakte toen hij een wapenschild ontwierp voor Wilfredo de Harige door zijn vier koninklijke tengels in het bloed van de gewonde krijger te dopen en die aan het schild af te vegen – een minimalistisch krabspoor dat het al meer dan duizend jaar als wapen van Catalonië heeft uitgehouden. Maar dit verhaal heeft een curieus tintje: Wilfredo de Harige werd rond 840 geboren en stierf in 897. Die jaartallen zijn voor Lodewijk de Vrome 778 en 840, wat strikt genomen alleen maar kan betekenen dat hij de vier rode strepen met het bloed van Wilfredo een halve eeuw na zijn eigen dood heeft getrokken. De oplossing van dit mysterie? Daar heeft de geschiedschrijver zijn eigen vinger niet op kunnen leggen.

De avond in december waarop we trouwden was helder en koud en – ongewoon voor Barcelona – er viel die avond sneeuw. Elke richel en elke krul in de gevel van de Kathedraal was bedekt onder een wit laagje. De sneeuw knerpte onder je voeten. Onze Catalaanse vrienden zagen de vroege sneeuw als een voorteken, maar waarván – afgezien van geluk in het algemeen – daarover kon niemand het eens worden. Sneeuw vóór de kerstdagen is zeldzaam in Barcelona; het was al in meer dan vijftien jaar niet voorgekomen – dus moest dit wel een speciale dag zijn. En zo voelde het ook. Ik zal nooit vergeten hoe ik door een geschutspoort van Casa de la Ciutat naar beneden keek en zag hoe Doris gracieus de lange, middeleeuwse trap besteeg. Ze leek zich niet bewust van het feit dat ik haar bekeek, slank in haar witte met lichtblauwe trouwjurk, de sneeuwvlokjes die als vertraagd achteloos langs haar schouders vielen en leken te rijmen met haar lichte en oogverblindende haar. Was ik ooit zo gelukkig geweest tijdens een trouwerij? Nee, nooit eerder. Ik kan me ook niet voorstellen dat dit mogelijk is. De burgemeester, Joan Clos, verbond ons in de echt in Catalaans en in een wat merkwaardig Engels. We antwoordden in even merkwaardig Catalaans: '*Si, vull*' (Ja, ik wil). Fielder, de jongste zoon van Doris, was helemaal bij de les en toverde zelfverzekerd de ringen te voorschijn. Mijn angst dat hij een ring zou laten vallen, die zou verdwijnen in een spleet tussen de oude stenen van de Saló de Cent, bleek ongegrond. Een strijkkwartet speelde zacht en gedragen. Na de plechtigheid liepen we de trappen af en stapten in de auto's, die op weg gingen naar het zuiden, de heuvel op naar Esplugues de Llobregat, naar het huis van de ceremoniemeester. Dat was natuurlijk de beeldhouwer Xavier Corberó, de aanstichter van mijn liefdesaffaire met Barcelona, de man die zo lang geleden mijn leven had veranderd door me voor te stellen aan *la gran encisera*, de grote verleidster, zoals de negentiende-eeuwse Catalaanse dichter Joan Maragall zijn geboorteplaats noemde.

Het bruiloftsfeest werd in Xaviers masia gehouden. Zijn cateraars hadden acht tafels opgesteld. De drempel was bedekt met geurige takken wilde rozemarijn, voor een lang en gelukkig huwelijk. De eerste gang van het diner was een dikke soep van witte bonen, gespikkeld met zwarte korrels gepureerde truffel en werd gevolgd door een dikke plak eendenleverpaté (die zo heerlijk was dat mijn stiefzonen, de tieners Garret en Fielder, vochten om een tweede en derde portie.) Vervolgens werden moten geroosterde *lubina* of zeebaars opgediend, licht gekruid met tijm. Daarna volgde gebraden kapoen met als garnering verscheidene wilde paddestoelen uit de bossen op de Catalaanse heuvels: *rovellons, ous de reig* en de sinister genaamde *trompetes de mort*, doodstrompetten. Als afsluiting kwam de witte en romige bruidstaart, die bestond uit vier verdiepingen met daarop een marsepeinen Doris en een marsepeinen Bob in trouwkostuum, hand in hand. We pakten een trancheermes, bijna even indrukwekkend als het zwaard van Wilfredo de Harige en staken het diep in de taart, met vier handen om het heft. Op geen van mijn vorige trouwerijen had ik taart met een miniatuur bruidspaar gehad en ik was als betoverd. Geen van ons

28

beiden kreeg het te kwaad en barstte in tranen uit, hoewel ik er maar een paar millimeter van was verwijderd.

Ik dacht over veel dingen na tijdens dat feest, steeds meer aangeschoten naarmate de avond vorderde. Ik dacht vooral na over Doris, over geluk en over trouw: aan haar en aan mijn oude vrienden zoals Corberó, die me waarschijnlijk beter kent dan wie ook, mijn bloedverwanten incluis, net zoals mijn relatie met Barcelona veel hechter en plezieriger is dan met enige plaats ten zuiden van de evenaar.

Sommige provincialen – en er schuilt er een in de meeste Australiërs, ook in mij – doen hun best om van het provinciale stigma af te komen door hoofdzakelijk, of soms uitsluitend, interesse te tonen voor de grote culturele centra: New York, Parijs of Londen. En ook ik heb langer in New York gewoond (33 jaar) dan in Australië (waar ik op mijn 26ste vertrok). Maar ik heb mijn tropisme voor de grote provinciestad die aanvoelt als thuis nooit verloren. Vandaar ook mijn liefde voor Barcelona.

Toen ik eens met het idee speelde om staatsburger te worden van een ander land dan Australië, dacht ik eerst aan Amerika – nooit aan Engeland natuurlijk, want dat zou als koloniale capitulatie hebben gevoeld, een lafhartig terugkruipen in een baarmoeder die me waarschijnlijk niet had verwelkomd. Maar toen drong het tot me door dat ik door Amerikaan te worden, automatisch en per definitie een kolonist zou zijn. En ook al werd ik dan Amerikaans staatsburger door eigen keuze, dan maakte me dat op z'n best een afgeleide en adoptieve kolonist. Amerika was inmiddels even imperialistisch als Engeland was, vijftig jaar voordat ik werd geboren. Zou ik me er ooit goed bij voelen als mijn toekomstige medeburgers de maan koloniseerden, of landden op Mars, of allerlei wetenschappelijke, ideologische en culturele plannen uitvoerden die ontsprongen aan de griezelige hersenkwabben van Amerikaanse machthebbers – een stelletje vreemden die, in de woorden van George W. Bush, mijn geboorteland zagen als hun 'sheriff' in de Stille Zuidzee? *No way, José!* Dergelijke tweedehandse grandeur was stompzinnig en vervelend. Als je van nationaliteit verandert, kun je maar beter voortploeteren onder de vlag van een land dat eens een enorm imperium bezat en nu niets; een land dat niet pretendeert (of, zoals de Amerikanen het noemen: 'streeft naar') moreel leiderschap over de wereld; een land dat 'inspirerend' publiek debat met een bepaalde ingetogenheid en scepsis bekijkt. Hoe zou het bevallen om een tijdje Catalaan te zijn? Nou, we zullen wel zien.

In de jaren zestig was het gemakkelijker om je voor te stellen dat je dood was dan dat je de zestig zou zijn gepasseerd en, eerlijk gezegd, wist ik destijds evenveel over Barcelona als over Atlantis. Eén van de weinige dingen die ik wist, was dat de stad zich dertig jaar eerder in naam van de Spaanse republiek had verzet tegen generaal Franco (1892-1975) en daarvoor een hoge en bittere prijs had moeten betalen; en dat George Orwell, een van mijn literaire helden, een boek had geschreven met de titel *Homage to Catalonia* en dat de meeste dingen daarin klopten, maar dat hij zich vreselijk had vergist met zijn kritiek op de – toegegeven – vrij zonderlinge Antoni Gaudí die, in de schijnwerpers gezet door de Franse surrealisten, een enorme kerk voor boetedoening had ontworpen die van gesmolten kaarsvet en kippendarmen gemaakt leek te zijn.

Als mijn kennis van Barcelona veertig jaar geleden beklagenswaardig gebrekkig was, dan gold hetzelfde voor de meeste Europeanen en Amerikanen. Niet zomaar gebrekkig – om je rot voor te schamen, zo gebrekkig. Zo beschamend, dat we ons er niet eens voor schaamden. De vijftienhonderd jaar dat de stad bestond, hadden maar vijf namen opgeleverd die ons onmiddellijk te binnen schoten. Je had natuurlijk Gaudí en de grootste cellist van de eeuw, Pau Casals. Er waren de schilders Salvador Dalí, Joan Miró en Pablo Picasso, die eigenlijk was geboren in Málaga en vrijwel zijn hele werkende leven in Frankrijk woonde, maar toch als honorair Catalaan werd gezien, omdat hij aan de kunstacademie van Barcelona had gestudeerd en de stad als springplank naar Parijs had gebruikt. Over Catalaanse kunstenaars die ouder dan Picasso en op dat moment ook zeker superieur aan hem waren – die geweldig penvaardige tekenaar Ramón Casas schiet me onder anderen te binnen – wisten we hoegenaamd niets. We hadden wel van Gaudí gehoord, maar duidden zijn werk niet correct, omdat we weinig of niets wisten over zijn diepgewortelde Catalaanse afkomst, zijn obsessie met ambachtswerk en zijn diepe, conservatieve vroomheid. We dachten dat hij een rare snoeshaan en een wegbereider voor het surrealisme was, iets wat zijn verrichtingen onrecht doet. We hadden eenvoudig geen idee waar we hem moesten plaatsen en dit was grotendeels te wijten aan het feit dat we, hoewel hij overduidelijk een radicaal kunstenaar was, te verblind waren door de retoriek van de jaren zestig om ons een vorm van radicalisme voor te kunnen stellen die zowel conservatief als extreem creatief was.

Aan de andere kant hadden we waarschijnlijk de naam van een bijna even groot architect, Lluís Domènech i Montaner, niet herkend of hadden we die van Joseph Puig i Cadafalch (1867-1957, een van de meest erudiete en verfijnde architecten in Europa) niet eens correct uit kunnen spreken. Voor alle duidelijkheid: Puig, dat 'bergtop' betekent, wordt uitgesproken als *poetsj* en dit gaf aanleiding tot een gedenkwaardig stukje onzinrijmelarij, waarschijnlijk van een vriend van Robert Graves, banneling op Mallorca. Het begint zo:

How would I love to climb the Puig,
And watch the peasants huigy-cuig:
Beneath the plane-trees I would muig,
Upon the benches we would smuig...

Graag zou ik klimmen naar de Poetsj (Puig)
Om het dansen te zien van het toetsj (tuig)
Onder de platanen gedraag ik me roetsj (ruig)
Op de bankjes lik ik je hoetsj... (huig...)

We hadden geen idee hoe het rechthoekige stratenplan van de Eixample of 'uitbreiding', dat buitengewone voorbeeld van utopische stadsplanning uit de negentiende eeuw, tot stand was gekomen, of dat de ontwerper ervan Ildefons Cerdà heette. De paar boeken over Catalaanse architectuur die er in 1960 bestonden, bleken onbetrouwbaar en waren nooit in het Engels vertaald. Er was vrijwel niets te vinden over Catalaanse schilderkunst, hoewel de grootste verzameling van Romaanse fresco's, gered uit de vervallen kerken van Ampurdië en de Pyreneeën, te vinden is in het Museu d'Art de Catalunya op de berg Montjuïc. Geen enkele buitenlander, behalve een handvol specialisten die Catalaans spraken, kon kennismaken met de grote schrijvers en dichters uit het verleden van Barcelona, van Ramón Llull en Ausiàs March in de Middeleeuwen tot Jacint Verdaguer en Joan Maragall in de negentiende eeuw. Een paar van de beste schrijvers van Barcelona zullen nooit in vertaling verschijnen omdat hun werk ofwel te volumineus is (de biografische schetsen en essays van Josep Pla bijvoorbeeld beslaan meer dan dertig delen), of te streekgebonden, of beide.

In de jaren zestig en zeventig hoopten Xavier Corberó en zijn vrienden – schrijvers, kunstenaars, architecten, economen en groentjes in de politiek – dat te veranderen. Wat wilden ze precies? Ze stelden zich een Barcelona voor dat, net als in het verleden, een centrum van mediterrane cultuur zou zijn. Niet *het* centrum: dat zou in de twintigste eeuw niet alleen onmogelijk, maar ook onwenselijk zijn. Centralisme was nu juist iets waartegen de Catalanen al eeuwenlang vochten – het deed te veel denken aan de tirannieke hand van het Franco-regime en de overtuiging van de dictator dat Catalonië, dat hem niet mocht en altijd weerstand bood, slechts een provincie was van Madrid en dat het Catalaans niet meer dan een Spaans dialect was. Ze zagen Franco's bewind als de laatste in een lange rij pogingen, te beginnen in de zeventiende eeuw met de vorstenhuizen Habsburg en Bourbon, om Catalonië haar *autodeterminació*, haar recht op zelfbestuur, te ontnemen. Ze wilden Barcelona de luister teruggeven die de stad had rond 1880, een halve eeuw voor hun geboorte. Dat zou nog een hele klus worden, want deze periode, onder Catalanen bekend als hun *Renaixença* of 'wedergeboorte' in *modernisme* (een begrip dat niet hetzelfde betekent als het modernisme van een eeuw later), was in 1966 door vrijwel iedereen vergeten behalve door de Catalanen zelf, die zich ook niet alles herinnerden. De monumenten en gebouwen uit die periode waren overal in Barcelona te vinden, maar er was verbijsterend weinig overeenstemming over hun betekenis.

Geen van deze jonge mensen was een communist, hoewel er wel een paar marxisten tussen zaten. Het gespeend zijn van ideologische beperkingen maakte hen juist zo geschikt om dertig jaar later Barcelona als stad en als cultuur te redden: een rotsvast geloof in sociaal verantwoordelijk bestuur, gekoppeld aan een even sterke overtuiging dat cultuur met het individu begint en niet als gevolg van ideologische dwang. Dit was een generatie Catalanen, zoals alle komende generaties weinig bekend op dat moment, die de stad zou veranderen en ik had het ongeloof-lijke geluk om ze, samen met Xavier, als gids te hebben. Ik was vooral ontvankelijk voor hun ideeën omdat ik aan het einde van de jaren zestig schoon genoeg had van de imperialistische pretenties van het Amerikaanse moder-nisme. Het idee, ooit bevrijdend maar nu verworden tot wurgend keurslijf, dat New York het middelpunt was van alles wat de moeite waard was in de schilder- en beeld-houwkunst (en niet te vergeten de kunstkritiek), en dat iets niet echt meetelde als het hier niet was opgemerkt. Misschien was het zo, maar misschien ook niet. Het was in elk geval niet iets wat je klakkeloos aan mocht nemen, vooral niet als Australiër woonachtig in Europa. Er moest meer zijn, dacht ik, dan al die hectares lyrisch acryl op on-behandeld zeildoek; het zou best eens kunnen dat Jackson Pollock, God hebbe zijn getalenteerde, dronken ziel, *niet* een schepper is van dezelfde orde als Winslow Homer of Marsden Hartley. En wat was er nu zo onbetwistbaar uniek aan Clem Greenberg, laat staan aan het verschraal-de proza van zijn imitators? Ik kan niet zeggen dat ik niet bevooroordeeld was. En ik weet zeker dat mijn Catalaanse vrienden het waren. Zijn waren chauvinisten, maar van een ander land dan Spanje. Zij waren Spaans *en* Catalaans en het is een waarheid als een koe dat Spanjaarden en vooral Catalanen de neiging hebben de liefde voor het va-derland voor alles te plaatsen.

Soms bereikt die loyaliteit het punt waar het overgaat in gekte, iets waarvoor je enig begrip moet kunnen op-brengen. Jaren geleden lunchte ik met de Catalaanse architect Oriol Bohigas, vlak voordat ik het vliegtuig naar Madrid zou pakken. Het was al laat in de middag, we waren pas rond twee uur aan tafel gegaan en toen ik op mijn horloge keek, zag ik tot mijn afschuw dat het al tegen vieren liep, terwijl we nog maar net waren begonnen aan de *butifarra amb mongetes*, worst met witte bonen, een van de traditionele boerengerechten van Catalonië. Geschrokken zei ik tegen Oriol dat ik me verkeken had op de tijd en weg moest.

'Onmogelijk. Waar moet je heen?'

'Madrid.'

'Madrid?'

'Ja, Madrid.'

'Maar in Madrid,' zei Oriol met verbaasde stelligheid, 'in Madrid *is* niets.' Hij sloeg een glas uitstekende rioja achterover een keek me strak aan.

'Nou, je hebt er het Prado,' probeerde ik.

'Ach ja, het Prado,' zei Oriol op een toon waarop je een slecht geïnformeerde vriend op een triviaal feitje corrigeert. 'Ja, het Prado. Natuurlijk. Maar daar ben je al eens geweest, dus waarom zo'n haast?'

Eén van de belangrijkste oorzaken waarom Barcelona zich zo moeilijk eigen liet maken – afgezien van mijn onbekendheid met de Catalaanse taal – was dat het sinds de Burgeroorlog ernstig in verval was geraakt. De dictator Franco haatte de stad en zocht wraak voor het verzet dat hij er had ontmoet. Hij had al zo lang de touwtjes in handen dat de meeste Catalanen zich geen wereld zonder hem konden herinneren. Spanje moest opnieuw worden uitge-

vonden na Franco, een gewaagd en bemoedigend vooruitzicht. De vader van een van mijn beste vrienden daar
had, jaren eerder, een magnumfles goede champagne
(Krug, meen ik) apart gezet. Hij zou de fles pas openen als
Franco dood was – en niet eerder. Franco's dood werd in
heel Barcelona gevierd met een spervuur van champagne-
kurken, maar zonder die van de vader van mijn vriend. De
fles had zo lang in de ijskast gestaan dat de bubbels vervlogen waren. Dat gold in zekere zin ook voor de stad zelf.
Barcelona grisa, 'grijs Barcelona', werd de stad genoemd,
terugkijkend op de jaren van Franco en zijn gehate Falan-
gistische burgemeester, Josep Maria de Porcioles i Colo-
mer, die verantwoordelijk was voor een stadsbestuur dat
intellectuele stagnatie en historisch onbenul als handels-
merk voerde. Barcelona was veranderd in een slapende
prinses, verwaarloosd, aan haar lot overgelaten. De stad
was een immense asbak, schuilgaand onder een laag vuil
en gruis. De gebouwen die de stad roem hadden kunnen
brengen, werden verstikt en raakten in verval. Zelfs de
grote christelijke monumenten, zoals de Kathedraal, hadden afgrijselijke kantoorgebouwen naast zich gekregen;
lelijk modernisme dat minachting uitstraalde en de praal-
zieke vroomheid van het Franco-regime op de hak leek te
nemen. De veranderingen aan de meesterwerken van de
negentiende-eeuwse bouwkunst – Gaudís Casa Milà, Casa Lle van Domènech i Montaner en het Palau de la Música Catalana van Morera – waren nooit goedgekeurd als
het middeleeuwse gebouwen waren geweest, maar ze werden gezien als ouderwets en kitscherig. (Hier moet ik eer-

lijkheidshalve opmerken dat Franco's afschuwelijke, lakse en hebberige trawanten er ook in andere Spaanse steden niet voor terugdeinsden de slopersbal los te laten op niet-kerkelijke gebouwen uit de Middeleeuwen.)

Niet alleen de Falangisten vonden art nouveau maar wegwerparchitectuur. Neem nu wat George Orwell in *Homage to Catalonia* schrijft over Gaudís Sagrada Familia: '... een van de afgrijselijkste gebouwen van de wereld... Wat mij betreft hadden de anarchisten totaal geen smaak, anders hadden ze het wel opgeblazen toen ze de kans hadden.' Maar hij noemde de oude man ten minste, net als Evelyn Waugh, die om duistere redenen tot de overtuiging was gekomen dat een ander gebouw van Gaudí, Casa Batlló op de Passeig de Gràcia, het Turkse consulaat was. Sir Nikolaus Pevsner *noemt* Gaudí niet eens in zijn standaardwerk *Pioneers of Modern Design*.

Het Barcelona dat we vandaag de dag zo waarderen, was verkracht en verpest door de ongecontroleerde en opportunistische hebzucht van projectontwikkelaars, die hun operaties niet uitvoerden als artiesten of chirurgen, maar als slaapdronken, goedwillende slagers. Was dit het resultaat van een moedwillig geplande politiek? Het antwoord daarop is: 'nee, *maar...*' Nee, *maar* het effect van verpaupering moet niet onderschat worden, evenals dat van geheugenverlies. Nee, *maar* het is moeilijk om de verloedering van Barcelona tijdens het bestuur van Porcioles (1957-1973) niet te zien als een wraakzuchtige poging een voedingsbodem voor entropie te creëren. Barcelona was tegen de *caudillo* in opstand gekomen. Slecht plan. Er was wel geld voor cementfabrieken net buiten de stad, omdat de eigenaren Franco steunden. Maar er zou geen geld komen om de symbolen van de Catalanistische bouwkunst te restaureren, zoals het Palau de la Música Catalana, omdat het – evenals de rest van de stedelijke cultuur – inging tegen de geest van het Madrileens centralisme en tegen bestuur, anders dan vanuit Barcelona zelf.

Barcelona is altijd een havenstad geweest; dat vormde de stad en bezegelde haar lot. Wanneer de stad precies is ontstaan, kan niet met zekerheid worden vastgesteld. Het begon in het bronzen tijdperk, met een piepkleine nederzetting aan zee en op de helling van de heuvel die nu Montjuïc heet, aan je rechterkant als je op de zee uitkijkt. De mensen die er woonden zijn bekend als de Laeitani; ze waren, voor zover bekend, inheems en stamden af van Keltische stammen. Die waren in de prehistorie over de Pyreneeën naar de kustvlakten getrokken van wat nu Catalonië heet en mengden zich met de al aanwezige Iberiërs, die zelf het product waren van eerdere invasies uit Noord-Afrika. Over de Laeitani is vrijwel niets bekend. Ze hadden geen geschreven taal (nogmaals: voor zover bekend), wat suggereert dat ze geen handel dreven met andere volken. Een van de belangrijkste straten in Barcelona heet Via Laietana en werd zo genoemd toen er voor een stedelijke herindeling een rechte lijn vanaf de heuvels naar de kust nodig was. Er is echter geen snipper bewijs te vinden dat de route van de straat, toen die in 1908 werd aangelegd, ook maar iets te doen had met de ongrijpbare Laeitani; er werd geen spoor – geen voorwerpen, laat staan gebouwen – van hen gevonden bij de opgravingen. Een overblijfsel van hun aanwezigheid zou de naam Barcino kunnen zijn, wat naar verluidt 'gastvrije haven' betekent, maar zeker is dit allerminst. Hedendaagse geschiedschrijving heeft de neiging underdogs te bevoordelen, maar zelfs als we daarmee rekening houden, hebben de Laeitani weinig bereikt, nog minder gemaakt en verdwenen ze spoorloos onder de voeten van de Romeinen, die dit deel van de Spaanse kust als basis namen voor hun oorlog tegen de Carthagen in 210 voor Christus. Barcelona werd niet meteen een belangrijke Romeinse kolonie, die eer was weggelegd voor Tarraco (het toekomstige Tarragona), dat in 210 voor Christus werd veroverd door de brute jonge generaal Scipio Africanus Major, die het daarop volgende jaar naar het zuiden trok en de Punische stad Carthago Nova volledig verwoestte. Tarraco was rijk, maar dat gold ook voor Carthago Nova, met zilvermijnen die vijfentwintigduizend drachme per dag opleverden. Dit waren koloniën die de moeite van het hebben waard waren, niet het toekomstige Barcelona, waar alleen maar wat vis en een gewaardeerde soort oester werd gevangen, die helaas door de industriële vervuiling van het water in de haven is uitgestorven.

Maar als de Romeinen een plaats bezetten, namen ze die ook volledig over en drukten er hun stempel op. Dat gebeurde ook met de kleine nederzetting die tegen de helling van de Montjuïc aangeplakt lag – een naam die afkomstig zou zijn (maar alweer: zeker is dit niet) van Mons Iovis, 'de heuvel van Jupiter'. Water was er niet op de Montjuïc. Er stroomden echter twee rivieren van het achterland naar de zee en het was logisch om het stadje (wilde het kunnen groeien) te verplaatsen naar Mont Taber, een lage heuvel die nu nauwelijks nog waarneembaar is. De rivieren begrensden de nieuwe stad die maar nauwelijks groter was dan een dorp, ongeveer twaalf hectare besloeg en de vorm had van een dikke schoenhak. Ongeveer in het midden lag het forum, op de plaats waar nu nog het administratieve centrum van Barcelona ligt – de Plaça Sant Jaume, ingeklemd tussen het Ajuntament ofwel het stadhuis en het Palau de la Generalitat, waar het bestuur van de provincie Catalonië zetelt. In feite was het een Romeins legerkamp, maar wel een afgebakend door dikke gemetselde muren. Hoewel Barcino (zoals het werd genoemd) toen nog amper meer dan een legerplaats besloeg, was het wel een symbool van Rome, het machtigste rijk van de wereld, met zijn cultus van verering van de keizer en de Romeinse goden. Daarom werd voor keizer Augustus een tempel gebouwd, waarvan drie Corinthische zuilen bewaard zijn gebleven in een kelder onder een huis op nr. 10 van Carrer del Paradís, vlak bij Plaça Sant Jaume. Ze zien er weinig indrukwekkend uit, net als alle andere overblijfselen van de Romeinen in Barcelona, afgezien van een paar stukken oude stadsmuur, massief en ontoegankelijk, maar ingeklemd tussen latere bebouwing. Barcelona is geen Pompeii. Als je denkt dat het interessantste van deze stad in de oudste bebouwing te vinden is, zul je zwaar teleurgesteld raken.

Romeins Barcelona had nog maar net een respectabele grootte bereikt of het verval van het Spaanse deel van het Romeinse rijk sleurde haar mee in onzekerheid en provincialisme. Er volgde een reeks schermutselingen en veroveringen, te gecompliceerd om hier op te noemen, en een aantal invasies van Germaanse barbaren, die vanaf 409 voor Christus over de Pyreneeën trokken: Vandalen, Sueven, Alanen en uiteindelijk een strijdmacht van (wellicht) tweehonderdvijftigduizend Visigoten, aangevoerd door hun koning Ataulf. De Visigoten zijn door historici als verwoestend en bloeddorstig geboekstaafd, maar ze hadden toch iets opgepikt in de paar jaar die volgden op het verwoesten van Griekenland en het plunderen van Rome. Ze waren veranderd in enthousiaste kerkenbouwers en aan het einde van de zesde eeuw stelde Reccared, een van hun koningen, het katholicisme in als officiële staatsgodsdienst voor Noord-Spanje, in plaats van het arianisme. (Dit doet denken aan een beroemd geworden blunder van een Amerikaanse neoconservatieve schrijver in de jaren tachtig, die schreef dat de universiteiten en hogescholen in zijn land werden overgenomen door 'Visigoten in tweedjasjes'. Was dat maar waar – kon je de beter geïnformeerde neoconservatieven horen grommen.)

Van de aanwezigheid van christelijke Visigoten zijn nog maar fragmenten – en stukjes van fragmenten – terug te vinden in Barcelona. De beelden van evangelisten – een leeuw (Marcus), een engel (Mattheus), een adelaar (Johannes) en de hand van God – werden gered uit een kleine Visigotische kapel en hergebruikt in de gevel van Sant Pau del Camp, het oudste kerkje van de stad, dat op dezelfde plek verrees. Afgezien daarvan is er werkelijk niets van Visigotisch Barcelona bewaard gebleven. Nog opvallender is dat geen enkel gebouw uit het midden van de negende eeuw, de periode van Catalaanse eenwording, bewaard is gebleven. De drijvende kracht achter deze eenwording en onafhankelijkheid is in de duizend jaar na zijn dood uitgegroeid tot een mythologische figuur voor de Catalanen: Guifré el Pelós, ofwel Wilfredo de Harige.

Wilfredo kreeg de macht over Catalonië door een Frankische krijgsheer te verslaan en door de leiding te nemen bij het verjagen van de Saracenen uit Barcelona. De Saracenen waren erin geslaagd de stad in te nemen – de een na laatste keer dat Arabieren de stad veroverden. Ondanks de Romeinse muur rond het stadje werden de *sarrains* – die de stad hadden veranderd in een wespennest van Moorse vrijbuiters en de handel bijna onmogelijk maakten – uit de stad verdreven door een samenwerking van Wilfredo de Harige en de zoon van Karel de Grote, Lodewijk de Vrome, naar verluidt in 801. (Hun geboorte- en sterfdata maken dit, zoals we al hebben gezien, onmogelijk, maar dat geeft niet. Wat politiek, mythe en heraldiek betreft begint de Catalaanse onafhankelijkheid met hem.)

Toen Wilfredo de Harige het noorden van Catalonië eenmaal stevig in zijn greep had, ontpopte hij zich tot een enthousiast donateur van kloosters en kerken. Daarmee paaide hij de geestelijke schriftgeleerden en verzekerde zich zo van een gunstige geschiedschrijving. Wilfredo was betrokken bij de bouw van bijna alle vroege kerken in Catalonië: Santa Maria de Formiguera (873), Santa Maria de la Grassa (878), Santa Maria de Ripoll (888) en Sant Pere de Ripoll, om maar een paar te noemen. Voor zichzelf bouwde hij een paleis in Barcelona, waarvan niets bewaard is gebleven. Ook hier financierde hij kerken, die eveneens zijn verdwenen. Het lag niet aan de Moren die, geleid door de vizier van Córdoba de stad in 985 voor een korte tijd bezetten, dat Barcelona geen gebouwen meer heeft uit de tijd van Karel de Grote, maar aan vroege Catalaanse 'projectontwikkelaars', die ze tijdens de eerste bouwgolf in de twaalfde tot veertiende eeuw tegen de vlakte gooiden. In de noordelijke stadjes aan de voet van de Pyreneeën zijn wel door Wilfredo gestichte kerken bewaard gebleven en één daarvan, Santa Maria de Ripoll, soms *bressol de Catalonya* (de wieg van Catalonië) genoemd, heeft een door tijd aangetast maar nog altijd prachtig albasten voorportaal, het mooiste voorbeeld van Romaanse beeldhouwkunst in heel Spanje.

Tijdens het bestuur van de reeks graven die Wilfredo de Harige opvolgden, dijde het territorium van Catalonië langzaam uit. Een cruciale politieke gebeurtenis vond in de twaalfde eeuw plaats, toen de Catalaanse graaf Ramón Berenguer iv met Petronella, de koningin van het aangrenzende Aragon trouwde. Hierdoor werden Catalonië en Aragon één machtsblok, sterk genoeg om elke Castiliaanse aanval te pareren en de centralistische ambities van de Madrileense koningen het hoofd te bieden. Sterker nog: door de combinatie van militaire slagkracht konden Catalonië en Aragon een rijk rond de Middellandse Zee stichten. Begonnen door Jaume I, die zijn bijnaam 'de veroveraar' zeker verdiende, hadden Aragon en Catalonië aan het begin van de veertiende eeuw een Catalaans imperium rond de Middellandse Zee veroverd.

Een tastbaar symbool van deze macht was de Llotja, de 'loge', de eerste aandelenbeurs van Europa en de rest van de wereld. De Llotja werd in zijn originele gotische vorm gebouwd in de veertiende eeuw, tijdens de eerste van de drie grote bouwgolven in de geschiedenis van Catalonië. De eerste bouwgolf, die naast de Llotja een groot deel van het *casc antic*, de middeleeuwse stad opleverde, werd in gang gezet door Pere III, een excentrieke en obsessieve monarch, ook bekend als El Ceremoniós, of Peter de Ceremoniële, die Barcelona voor een groot deel van de veertiende eeuw bestuurde.

De tweede bouwgolf voltrok zich in het laatste kwart van de negentiende eeuw en heeft ons dat prachtige, visionaire stedenbouwkundige ontwerp van Ildefons Cerdà gebracht, de eerste rasterstad, de voorloper van New York: de Eixample, het Nieuwe Barcelona, dat over de beknellende *muralles* heen sprong en de stad in staat stelde voorbij haar middeleeuwse beperkingen te groeien.

De derde bouwgolf was de restauratie en het opnieuw opsieren van Barcelona in de jaren voorafgaand aan de Olympische Spelen van 1992, een proces dat in gang werd gezet door burgemeester Pasqual Maragall en dat ook ná de spelen doorging.

Catalaanse bouwgolven hebben iets gemeen met elkaar: ze tarten het gezond verstand. Hoeveel waarheid in deze stelling ligt, blijkt wel uit wat zich voltrok tijdens het bewind van Peter de Ceremoniële. Hij was een trots man, licht ontvlambaar en gevaarlijk. Hij hield van luxe en uitgebreid protocol en wilde dat de stad zou getuigen van het prestige dat hij zichzelf toedichtte. Hij droeg deze ambitie uit in een gedicht, want hij was eveneens een dichter – misschien geen groots dichter als Ausiàs March, maar voor een monarch ook geen slechte. In middeleeuws Catalaans gaat het als volgt:

Lo loch me par sia pus degut
noble ciutat, o vila gross'e gran,
o'ls enaemichs valentment garreian
tenent al puny lança e'l brac escut,
o'n esglesia, on devotate sia,
e si u fa'xi, no sera ja repres
per cavallers...

Wat vertaald naar het heden min of meer betekent:

De waardigste plaatsen zijn, denk ik
edele steden, of mooie stadjes
of waar je vijanden moedig bevecht
met een lans in de hand, of een schild op de arm
of wanneer je bidt in een kerk
en als ik dat doe, zal ik niet worden uitgehoond
door edele ridders...

Duidelijker had hij het niet kunnen zeggen. Steden bestaan om de grandeur van hun inwoners uit te dragen, van hun burgers, maar vooral van hun machthebbers. Als ze dat niet doen of kunnen, verdienen ze de naam stad niet; dan zijn het slechts dorpjes, groot of klein. De status van een stad kan worden afgemeten aan de grandeur van haar gebouwen, kerkelijk dan wel seculier. En omdat in geen stad in de mediterrane wereld geld zo'n religieuze betekenis had als in Barcelona, moest de Catalaanse zakenwereld wel zijn eigen kathedraal hebben. Peter de Ceremoniële en zijn Catalaanse tijdgenoten wilden aan zee, die immers de bron van hun rijkdom was, een soort middeleeuws World Trade Center bouwen – maar wel één dat niet verwoest kon worden door de Arabieren, die destijds in Spanje ten zuiden van de Ebro nog de scepter zwaaiden.

Ze wilden nog veel meer bouwen en deden dat ook. Om de *moros* buiten te houden, herbouwden ze de stadsmuren. Ze bouwden een enorme muur, die net ten zuiden van de middeleeuwse scheepswerf Drassanes, aan zee begon en die het hele gedeelte omsloot dat nu tussen de Ramblas en de Parallel ligt. Binnen de muren waren *horts i vinyets*, groentekwekerijen waarop Barcelona voor noodvoeding was aangewezen. Het moet een gigantisch tuinhek zijn geweest, maar de muren waren strategisch noodzakelijk. Niet zo voor de hand liggend waren de moeite en geld die werden gestoken in een hele serie gebouwen die nu als de essentie van middeleeuws Barcelona worden gezien. De Casa de la Ciutat, de Saló del Tinell met zijn adembenemende bogen – die halfronde regenbogen in

47

steen; Santa Maria del Mar, een groot deel van de Kathedraal en natuurlijk de Llotja. Werden deze en andere pronkstukken van de Barri Gòtic gebouwd in tijden van vrede en voorspoed? Absoluut niet. In 1333 mislukte de Catalaanse tarweoogst en ongeveer tienduizend mensen, een kwart van de bevolking van de stad, stierf van de honger. Barcelona balanceerde op de rand van de afgrond, was bijna bankroet. Dat geeft de achtergrond van dit gebouw zo'n bizar en maniakaal tintje. Denk maar eens aan New York. De machtigste stad ter wereld raakte bijna verlamd door een terroristische aanval die minder dan vijfduizend mensenlevens kostte, op een populatie van acht miljoen mensen. Minder dan 0,1 procent. Maar deze veertiende-eeuwse stad verloor in één jaar een kwart van zijn bevolking en bouwde stug door, met een onuitblusbaar geloof in de toekomst – hoewel het tegelijkertijd ten prooi viel aan een keur van andere rampspoed.

De pest, bijvoorbeeld. Barcelona bleek als grote handelshaven buitengewoon vatbaar voor de pest. De ziektekiemen, *yersina pestis*, zaten in het speeksel van de luizen die meeliftten op ratten die in de scheepsruimen de Middellandse Zee overstaken. De economie van de stad begon zich net te herstellen van de catastrofes na 1330, toen in 1348 de pest uitbrak. Mallorca was het eerste deel van Europa dat aan de ziekte ten prooi viel, gevolgd door Catalonië. Tachtig procent van de bevolking van de Balearen stierf. In Barcelona werd het gemeentebestuur bijna volledig weggevaagd: vier van de vijf consellers lieten het leven. Het resultaat van de Zwarte Dood was, net als elders, maatschappelijke chaos. Einde-der-tijden-predikers kondigden aan dat de Dag des Oordeels was aangebroken. Velen gaven de joden de schuld en iedere Catalaan kende wel iemand, die weer een ander kende die had gezien hoe joden lijken in de christelijke waterputten gooiden. Dus, tezamen met de epidemieën en terugkerende hongersnoden, waren er lynchpartijen en pogroms. Als je een schoolvoorbeeld zoekt van hoe in de Middeleeuwen een staats- en politiek bestel ineenstortte, dan vind je geen betere dan dat van Barcelona ten tijde van de bouw van de Llotja, onder de regerende hand van Peter de Ceremoniële. De levenden benijdden de doden en iedereen vreesde dat de hand van God zich tegen hen had gekeerd. En toch bouwden ze door, oog in oog met rampen die geen van hen begreep.

Ze vonden een schuilplaats en troost in religie, daarom is het geen mysterie dat de rampzalige veertiende eeuw een bloeiperiode voor Catalaanse kerkenbouw was. Maar de Catalanen waren, toen net zo goed als nu, trots op hun commerciële koppigheid. Ze waren het zakendoen bijna als een staatsreligie gaan zien en dat was gunstig voor de bankiers en groothandelaren in bacallà, gezouten kabeljauw, die zich goden, helden en heiligen konden wanen, iets wat ze altijd al hadden geloofd. En daarom bouwden ze de Llotja del Mar tussen 1380 en 1392, precies op het hoogtepunt van de pestepidemie.

Een 'llotja' is een handelsbeurs. De meeste handelssteden in de oude Països Catalans in Zuid-Frankrijk en het noordoosten van Spanje hadden zulke beurzen – Perpig-

49

De Llotja

nan, Aix, Palma en ga zo maar door. Maar de llotja's van Palma en Barcelona waren veruit de mooiste en meest permanente.

Hieruit bleek dat Barcelona een hoogwaardige handelsstad was in een tijd dat Madrid nauwelijks meer was dan een verzameling plaggenhutten aan de oever van de Manzaneres, waar het idee om een Spaans rijk te besturen nog geboren moest worden. De graven van Catalonië hadden consulaten in niet minder dan 126 plaatsen rond de Middellandse Zee. Hun koopmansrijk strekte zich uit van Venetië tot Beiroet, van Málaga tot Constantinopel, van Famagusta tot Tripoli en van Montpellier tot Caïro.

Geen enkel ander land had zo'n netwerk. Ze dreven overal handel – en met iedereen. Ze exporteerden geweven wol en schapenvachten, gedroogd fruit, olijfolie en ijzer naar het Midden-Oosten. Als betaling kregen ze peper, wierook, kaneel en duizenden slaven. Naar de Balearen, Sardinië, Napels en Sicilië, allemaal onderdeel van het Catalaanse rijk in de veertiende eeuw, exporteerden ze stoffen, lederwaren, saffraan en wapens; en kwamen terug met katoen, tarwe, bacallà en nog meer slaven. Ze handelden met Vlaanderen in textiel en met de steden aan de Barbaarse Kust van Noord-Afrika in álles, variërend van gedroogde vijgen tot noten en kilometers textiel. Deze handel kwam vooral voor rekening van Catalaanse joden, die in de vijftiende eeuw vurig zouden worden opgejaagd door idiote Spaanse christenen, maar die in de tijd dat de Llotja werd gebouwd niet alleen werden getolereerd, maar ook aangemoedigd door de pragmatische Catalanen, om de simpele reden dat joden wel als handelaar in een moslimstad mochten werken en christenen niet.

Geen enkele cultuur in de Middeleeuwen liet zich zo uitgesproken voorstaan op de deugden van het zakendoen dan die van het veertiende-eeuwse Catalonië. En geen andere cultuur zou dat weer zo doen, tot de Engelsen in de negentiende eeuw, wier vurige lofliederen op geld verdienen en op de middenklasse sterk aan de Catalanen doen denken. Er was maar één ding beter dan een koopman en dat waren twee koopmannen. In de jaren na 1380 publiceerde een voormalig franciscaner theoloog, Francesc de Eiximenis, vier delen van een boek met vijfentwintighonderd hoofdstukken, *Regiment de la Cosa Pública* genaamd. Hierin beargumenteert hij dat het enige dat burgers tegen krijgsheren en tirannen kan beschermen, een sterke, dominante middenklasse is. De bourgeoisie, vol *seny* en gemeenschapszin, was de deugd zelve en zou als beschermde diersoort moeten worden behandeld. 'Koopmannen,' verklaarde Eiximenis, 'zouden hoger aangeslagen moeten worden dan al het andere lekenvolk... zij zijn het leven van het volk... de parel van de publieke zaak, het eten voor de armen, de sterke arm van alle goede handel... Zonder koopmannen vallen gemeenschappen uiteen, worden prinsen tirannen, zijn de jongeren verloren en huilen de armen... Alleen koopmannen zijn genereuze gevers en geweldige vaders en broers van het algemeen belang.'

De relatie tussen geld, macht en heiligheid werd een stuk bondiger uitgedrukt in een gedicht van de Mallorcaanse dichter Anselm Turmeda, die aan het einde van de veertiende eeuw zijn lezers op het hart drukte:

Diners, doncs, vulles aplegar.
Si els pots haver no els lleixs anar:
Si molts n'hauras poràs tornar
papa de Roma.

Zorg dat je geld krijgt!
Als je het krijgt, laat 't niet los!
Als je veel krijgt,
kun je de Paus van Rome zijn!

De Llotja had als gebouw dus een duidelijke missie. Het moest de waarden van de middenklasse onderstrepen en iedereen – de leden van de middenklasse incluis – doordringen van haar permanente belang. In die zin was de Llotja werkelijk een kathedraal voor de handel. Er was eerder ook al een beursgebouw geweest, maar dat was klein, niet meer dan een paviljoen aan de kustlijn. Het was ontworpen door de gerenommeerde architect Pere Llobet, tegenwoordig vooral bekend omdat hij de Saló de Cent in het Ajuntament ontwierp. Het paviljoen werd door een springvloed rond 1350 verwoest en dit gaf Peter de Ceremoniële de kans om het te vervangen door iets grootschaligers. Als architect werd Pere Arbei gekozen, de Llotja werd het enige noemenswaardige dat hij zou bouwen in Barcelona. Van de Llotja is niet meer dan een hal overgebleven, een van de indrukwekkendste gotische ruimtes van de wereld, die bovendien veel duidelijk maakt over het karakter van Catalaanse gotiek. Dat karakter kenschetst zich door het streven naar breedte en niet zozeer naar hoogte. Engelse en Franse gebouwen uit de veertiende eeuw hebben de neiging hun energie, hun bouwkundige betekenis in het virtuoze spel met hun eigen hoogte te zoeken. Catalaanse architecten gaven de voorkeur aan breedte boven hoogte: in plaats van de hoogte in te schieten – iets wat de Fransen mystiek vonden, maar door de Catalanen als fragiel werd gezien – omsluiten hun gebouwen je juist door in de breedte uit te dijen. Ze herinneren je aan hun oorsprong: de grot, de spelonk, en geven daarmee iets prijs van de geloofsbeleving van de oermens. Breedte en lengte, geen hoogte, dat gaf Catalanen in de Middeleeuwen een gevoel van veiligheid en succes. Je ziet het ook aan de kerken: de Santa Maria del Pi bijvoorbeeld, met een schip dat ruim zestien meter breed is – ongeveer een derde van de lengte, een overrompelende prestatie in het bouwen met steen, waarmee zonder ondersteuning of wapening maar beperkte overspanningen mogelijk zijn. Engelse en Franse architecten in de gotiek genoten ervan om muren te verluchtigen, ze te veranderen in een stenen kantwerk en hun solide massa te vervangen door glas. Zo niet de Catalanen van de veertiende eeuw die, niet als hun Romaanse en cisterciënzer voorgangers, van gebouwen hielden die er sterker, zwaarder en ondoorzichtiger uitzagen.

De hoofdzaal van de Llotja, de Sala de Contractació, ofwel contractzaal, waar de meeste handelsovereenkomsten werden beklonken, hoort bij deze groep gebouwen. Het is een grote stenen doos met een dak dat wordt gedragen door een dubbele rij van drie bogen, die ontspringen uit vier hoge, dunne pilaren met een elegante vierkante vorm. De bogen zijn rond, niet puntig als in de noordelijke gotiek, en ook het dak zelf is niet gewelfd, maar vlak. Het is gemaakt uit massieve balken, dicht op elkaar geschoven, steunend op de toppen van de bogen. Met andere woorden: het is bijna net zo'n constructie als de Saló de Tinell, die ook werd ontworpen door een architect die voor Peter de Ceremoniële werkte, behalve dan dat daarbij de bogen niet door pilaren omhoog zijn gebracht, maar direct aan de vloer ontspringen, waardoor de hal op een enorme tunnel lijkt. Door de slanke en gecanneleerde pilaren is het ontwerp van Pere Arbei veel lichter en ruimtelijker, maar lijkt nog steeds in niets op de Franse en Engelse gotiek. De constructie van het gebouw is nog duidelijker te zien vanaf een galerij, die langs de muur van de contractzaal loopt. Het is een mooie zaal, erg uitgesproken en ontroerend door zijn eenvoud. Een van de beste eigenschappen van de Catalaanse gotiek is de bereidheid om je het geraamte van een gebouw te laten zien en daarom is de Llotja op deze manier ontworpen.

Het werd de basis, ontmoetingsplaats en het centrum van de Catalaanse financiële wereld. Maar hoewel de grandeur van de Llotja overleefde, bleef de functie niet intact, tenminste niet tot in het oneindige. De reden daarvoor was eenvoudig: Barcelona's functie als financieel centrum brokkelde langzaam af, werd in feite door Madrid afgenomen.

Een opeenvolging van politieke gebeurtenissen knaagde aan de oude onafhankelijkheid van de koninkrijken Aragon en Catalonië. Dit kwam in 1714 tot een hoogtepunt, toen Spaanse troepen, gestuurd door de Bourbonkoning Felipe V (1683-1746) Barcelona veroverden. De legermacht werd aangevoerd door de bastaardzoon van koning James II, een Engelse generaal die ook Duke of Berwick werd genoemd en nadien, als een van zijn vele Spaanse titels, El Duque de Liria. Hij was op pad gestuurd om de ruggengraat van het Catalaanse verzet te breken – en dat was precies wat hij deed. De overblijfselen van dat verzet, de lijken van Catalaanse verzetshelden die door

Berwicks mannen na het innemen van de stad werden afgeslacht, liggen tegenwoordig in een massagraf naast de Santa Maria del Mar.

Al fossar de les Moreres
no s'hi einterra cap traidor
Ffins perdent nostres banderes,
sera l'urna de l'honor.

Op begraafplaats Moreres,
vond geen verrader een graf:
hoewel we onze vlag verloren
blijft dit een urn vol eer.

De verovering van Barcelona en het reduceren van Catalonië tot niet meer dan een provincie van Madrid, een vazalstaat van het centralistische Spanje van de Bourbons, had uiteraard diepgaande consequenties voor de Llotja en de handel die er werd gedreven. Om te beginnen was het gebouw door de bombardementen tijdens de belegering ernstig beschadigd – de pilaren waren verzwakt en men vreesde dat het gebouw zou instorten. Politiek bezien verloor Barcelona veel handelsmogelijkheden, als straf voor het streven naar onafhankelijkheid, door een verbod om deel te nemen aan de transatlantische handel met Zuid-Amerika – handel die veel meer opleverde dan de middeleeuwse handelsrelaties met het Midden-Oosten. De handel met Amerika zou in handen van Madrid blijven en niet via de Llotja plaatsvinden. Dit duurde niet lang, maar groeide toch uit tot een van de meest gekoesterde mythes van het Catalaanse separatisme: het geloof, nog steeds beleden door sommige radicale Catalaanse separatisten, niet dat die er nog in groten getale zijn, dat de wraakzuchtige Bourbons alle aspecten van de Catalaanse identiteit wilden verpletteren, mangelen en vernietigen, te beginnen met de taal, en dat een samenzwering om de stad aan de bedelstaf te brengen daar deel van uitmaakte.

De schurk van dit verhaal was in de ogen van het volk Felipe v, die zo werd gehaat door de meeste Catalanen, dat niet eens zo lang geleden Barcelonese schoolkinderen vroegen of ze 'bij Felipe op bezoek mochten' als ze naar de *cagador* (het toilet) moesten. Een groot deel van die haat was te wijten aan de patriottistische mythevorming, maar het is een feit dat in de nasleep van de verovering door de Bourbons de Llotja een tijd gesloten werd. De beurs werd omgebouwd tot een legerbarak voor de troepen van Felipe, die geen andere slaapplaats konden vinden.

De volgende koning van Bourbon, Carlos iii (1716-1788), hielp de Catalaanse handel er weer bovenop en maakte het niet alleen mogelijk om de Llotja te restaureren, maar zorgde ook voor een uitbreiding van het gebouw – en van de invloed van de beurs. Als eerste schrapte hij de restricties op de handel van Barcelona met Zuid-Amerikaanse koloniën: Mexico, Peru, Venezuela, Cuba, Puerto Rico en de rest. Vanaf dat moment pendelden Catalaanse schepen over de Atlantische Oceaan en legde het durfkapitaal van Catalaanse investeerders de basis voor indrukwekkende rijkdommen, van Lima tot Havana. Om al die nieuwe handel aan te kunnen, moest de Llotja worden gemoderniseerd en uitgebreid. Het ouderwetse gotische uiterlijk voldeed niet meer.

Carlos III was, afgemeten aan zijn voorgangers, een gematigd verlichte vorst. Hij hield van neoklassiek en was voorstander van grootschalige bouwprojecten, op een Italiaanse manier. Toen hij regeerde over Napels, had hij toezicht gehouden op de imponerende bouw van Palazzo di Caserta. Hij haalde de Italiaanse architect Filippo Juvarra naar Madrid als opzichter bij de bouw van het enorme Palacio Real met zijn twaalfhonderd kamers. Het was duidelijk dat zijn reputatie als beschermheer van de Catalaanse zakenwereld niet zou groeien als het bleef bij restauratie van een oud gotisch gebouw, zwaar gehavend door het leger van zijn voorganger. Daarom moedigden zijn bestuurders de Junta de Comerç aan om verder te gaan met wat zou uitgroeien tot de bouw van een nieuwe Llotja, qua stijl naar de smaak van de vorst. Geen gotische nostalgie, maar een stijl die als het nieuwste en beste werd gezien: een ordelijk, goed geproportioneerd, maar ietwat massief soort neoclassicisme. De nieuwe Llotja werd als een stolp over de oude gotische kern gebouwd en onttrok die volledig aan de buitenwereld. Er waren niet veel neoclassicistische architecten in Barcelona, maar Joan Soler i Faneca voldeed aan de eisen. Hij was in 1731 geboren en begon in 1764 met het ontwerp van de nieuwe Llotja, zijn eerste grote werk in Barcelona. Hij zou nog twee grote gebouwen ontwerpen, geen van beide van dezelfde betekenis: het Palau Sessa-Larrard, dat in 1778 werd voltooid en het Casa March de Reus, dat in 1780 in gebruik werd genomen.

Al deze drie gebouwen zijn opgetrokken in een sobere, behoudende en weinig inventieve stijl die in het late achttiende-eeuwse Barcelona in zwang was, maar het mooiste van de drie – zelfs het mooiste neoclassicistische gebouw van de hele stad – blijft de Llotja. Het gebouw heeft een wonderlijke en hybride historie. Het werd in 1804 opgeleverd en in de late negentiende en vroege twintigste eeuw diende de helft van de bovenste verdieping als huisvesting voor de belangrijkste kunstacademie van Barcelona, de Escola de Belles Arts ('school voor de schone kunsten'). Picasso's vader gaf er les, de jonge Pablo studeerde er in de jaren na 1890, evenals Joan Miró en vele minder bekende Catalaanse schilders en beeldhouwers uit de negentiende eeuw. Als gebouw is het elegant en in proportie. De decoratieve beeldhouwwerken zijn middelmatig, zoals zoveel beeldhouwwerken destijds in Barcelona, maar één kunstwerk is van een werkelijk opzienbarende kwaliteit: het beeld van de deugdzame Lucrezia, die sterft aan de door haar zelf toegebrachte steekwonden, na verkracht te zijn door de schurk Tarquin. De Catalaanse kunstenaar Damià Campeny, die het grootste deel van zijn leven in Rome werkte in een neoclassicistische stijl afgeleid van Antonio Canova, voltooide het beeld in 1804.

Solers ontwerp voor de ramen was eenvoudig, met minimale detaillering. De binnenplaats achter de ingang is prachtig geproportioneerd en bevat het meest gedenkwaardige en interessante deel van het pand: de gedraaide, dubbele trap, intens sculpturaal en golvend op een manier die me aan Gaudí doet denken. Het is heel goed mogelijk dat de trap Gaudí, de grootste architect van Barcelona, heeft beïnvloed. Het was immers Gaudí die hielp bij het oprichten van de Cercle d'Artistes de San Lucas, een zeer invloedrijke kunstenaarssociëteit. De kring was ultraconservatief, ultranationalistisch en ultra-, ultrakatholiek, het compleet tegenovergestelde van het soort vrijdenkerij en ironisch modernisme dat Ramón Casas en Santiago Rusinyol uitdroegen in het café Els Quatre Gats. Afgezien van Gaudí en de beeldhouwer Josep Llimona zou geen van de leden van de kring veel invloed op de Catalaanse kunst hebben, laat staan op de Spaanse kunst in het algemeen. Maar interessant vind ik dat de 'Lucassen', als ze naar bijeenkomsten in de kunstacademie gingen, die gedraaide, gebeeldhouwde trap moesten beklimmen en ik denk niet dat het vergezocht is om in de bijna vloeibare en serpentineachtige vormen de genese te zien van de vormen die Gaudí in zijn rijpe jaren in Casa Battlló en Casa Milà zou toepassen.

Maar we lopen op de zaken vooruit. De eerste bouwgolf van Barcelona leverde veel meer op dan de aandelenbeurs en de Saló de Cent. Het mooiste bewaarde voorbeeld van veertiende-eeuwse industriële architectuur is te vinden aan de kustlijn: de Drassanes, ofwel scheepswerven, een meesterwerk van civiele techniek, gebouwd door de architect Arnau Ferre en opgeleverd in 1378, tijdens het bewind van Peter de Ceremoniële. De werven bestaan uit een serie lange, naast elkaar gelegen stenen hallen, hun pannendaken gedragen door enorme bogen. In deze eenvoudige, maar imponerende ruimtes werden tot aan het einde van de zeventiende eeuw de grootste schepen gebouwd die de Middellandse Zee bevoeren. Een replica van zo'n schip, de *Capitana* of vlaggenschip, waarmee Don Juan van Oostenrijk de Turken in 1571 versloeg bij Lepanto, neemt een hele helling in beslag. Het schip, een slanke, barokke oorlogsboot met een lengte van bijna zestig meter, is bedekt met bladgoud en rode lak en werd voortgestuwd door een kleine zeshonderd geketende slaven die de achtenvijftig roeiriemen, zo dik als lantaarnpalen, bedienden. Ruim anderhalve kilometer verderop staat in een van de kapelletjes van de Kathedraal de gevierde *Christus van Lepanto*: een beeld, gesneden uit de stam van een iep, met een Christusfiguur in de vorm van een S. Een wonder, zo gaat het verhaal, omdat de Heiland een kanonskogel van een Turkse boegjager op zich af zag komen en zich met zijn goddelijk snelle reflexen uit de baan van het projectiel wist te buigen.

Het bewind van Peter de Ceremoniële leverde opmerkelijke gebouwen op waarmee de stad, hoewel ze geen religieus karakter hadden, een sterke emotionele band kreeg. Dit geldt met name voor de Saló del Tinell, een enorme feestzaal die rond 1370 als parlementsgebouw werd gebruikt. Ten noorden van de Pyreneeën staken Engelse en Franse architecten in de gotiek al hun energie en vindingrijkheid in het verluchtigen van muren met glas en in het benadrukken van de hoogte van hun constructies door hoge steunpilaren te gebruiken. In Catalonië gebeurde het tegenovergestelde: de muren blijven massief en verankerd aan de grond. Of er is helemaal geen muur, zoals bij de Saló del Tinell, een tunnel die het beeld oproept van het grotleven in de Pyreneeën. De basisvorm van een middeleeuwse Catalaanse kerk is één groot schip zonder zijbeuken, met een veelhoekige apsis aan de ene kant en het koor aan de andere. Kerken met één schip kunnen inderdaad zeer wijd gebouwd worden. Een Catalaanse architectuurhistoricus beschreef dat een Catalaan, wanneer hij een lange, smalle Franse kathedraal betrad, een gevoel van 'geborgenheid' miste. Dat gevoel waren de middeleeuwse Catalanen als een vereiste gaan zien van een *casa pairal de déu*, het familiehuis van God, waar ze rond het altaar samenkwamen, als broers, zusters, neven en nichten rond de llar de foc, de ruime en uitnodigende kamer met de open haard, net als vroeger, in de grot.

Het is niet moeilijk om hoog te bouwen in steen, omdat steen goed tegen druk bestand is. Maar bouwen in de breedte brengt buigspanningen met zich mee. Steen buigt maar moeilijk en, omdat we in een tijd leven van staalconstructies en gewapend beton, zien we grote overspanningen als een vanzelfsprekendheid. In de veertiende eeuw waren grote overspanningen in steen een wonder en waren de Catalaanse architecten onovertroffen in hun constructies.

Het breedste, gewelfde schip in Europa (bijna 24 meter breed, slechts anderhalve meter smaller dan die enorme badkuip van de Sint Pieter in Rome) is te vinden in de kathedraal van Girona in Catalonië, gebouwd in de veertiende eeuw als kerk met één enkel schip.

Wijde gotiek heeft zijn eigen grandeur vanbuiten en dramatiek vanbinnen, zoals de veertiende-eeuwse Santa Maria del Pi (waarvan de bouw in 1322 begon) overvloedig aantoont. De voorgevel is bijna vrij van versieringen: een reusachtige stenen plak, ingeklemd tussen twee achthoekige torens. Binnen zet die soberheid door; zelfs als de twaalf nissen in de kerk nog waren gevuld met beelden (die lang geleden tijdens een beeldenstorm werden weggehaald), moet de kerk er schrijnend sober hebben uitgezien. Je maakt, eenmaal binnen, meteen kennis met het enkele schip van de Pi. Het koor is onder het roosvenster gebouwd, op een lage stenen boog die de hele breedte van de kerk overspant. Het is een bijna vlakke boog, want Catalaanse metselaars van de veertiende eeuw konden vlakke bogen bouwen die alle wetten van buigspanningen lijken te tarten. Tegenwoordig zou geen architect het in zijn hoofd halen om zulke vormen van stenen te bouwen zonder stalen wapening.

Ondanks zijn grootsheid is de Kathedraal van Barcelona (niet te verwarren met de nog niet afgebouwde Sagrada Familia van Gaudí, geen kathedraal maar een 'tempel voor boetedoening') een somber gebouw: zwaar, rommelig – en zwartgeblakerd. De oorsprong van de kerk gaat terug tot in de vierde eeuw voor Christus, toen een christelijke schrijn deze plek innam op het oorspronkelijke Romeinse forum. De meest recente aanbouw ziet de bezoeker als eerste: de voorgevel, gebouwd in de negentiende eeuw, in opdracht van een bankier annex spoorweg-magnaat en ontworpen door de plaatselijke architect Josep Oriol i Mestres – de flamboyante gevel is gebaseerd op een ontwerp dat een Franse architect in Rouen vierhonderd jaar eerder tekende. Dit ontwerp, hoe mooi ook, loopt duidelijk uit de pas met de veel strengere, massieve gotiek van de rest van de kerk en van de oude stad in het algemeen.

De meeste mensen zullen vermoedelijk het meest genieten van de kloostertuinen in de Kathedraal: een verrukkelijke gotische oase, met paden van grotendeels afgesleten grafstenen van middeleeuwse hoogwaardigheidsbekleders (inclusief een hofnar) en hoge, groene palmen en vijvers. Waterkers en mos groeien overal in en op de fonteinen, waar een luidruchtig regiment witte ganzen omheen scharrelt. Wat die vogels er te zoeken hebben – zijn hun verre voorvaderen erheen gehaald als een kopie van de heilige ganzen van het Romeinse capitool, net zoals hun territorium een naar een kolonie verplaatst forum was? – blijft gehuld in de nevelen van de tijd.

De mooiste gotische kerk in Barcelona – of in heel Spanje, zullen sommigen volhouden – is ongetwijfeld de Santa Maria del Mar. Het is zeker een kerk die ik altijd bezoek om het gevoel te krijgen helemaal terug te zijn in Barcelona. De kerk staat aan de voet van de wijk Ribera, waar de stad de zee ontmoet en is in feite opgedragen aan de sterke en traditioneel bloeiende relatie tussen Barcelona en haar arbeidersbevolking. Daarom, zonder sentimenteel te worden, is ze zo geliefd: er zijn weinig sporen van aristocratische grandeur, de neerbuigende overdaad die 'meer hoogstaande' Spaanse kerken kenmerkt.

Het gebruik van deze plek voor rituelen gaat ver terug in de geschiedenis. De oorspronkelijke kerk of gebedsplaats, waar geen spoor van terug is te vinden, kan weleens de eerste aartsbisschoppelijke zetel van Barcelona zijn geweest ten tijde van keizer Constantijn, in de vierde eeuw. De bouw van de kerk begon iets later dan die van de Santa Maria del Pi, in 1329, en de voltooiing duurde meer dan een halve eeuw.

Als eerste werd Santa Eulàlia, beschermvrouwe van Barcelona, vereerd in de kerk, maar toen haar overblijfselen naar de Kathedraal werden overgebracht, ontstond er een nieuwe en grotere kerk op de plek van de oude, gewijd aan de moeder van Christus in haar rol als beschermvrouwe van zeelieden – de Heilige Maria van de Zee. Daarom staat een oud modelschip van een dikbuikige karveel op het altaar.

Inmiddels was de Ribera, de wijk rond de kerk, welvarend geworden en werden de straten vernoemd naar de ambachten die er werden uitgeoefend – Carrer del Argenteria (zilversmederijen), Carrer dels Sombrerers (hoedenmakers) en zo verder. Omdat de kerk vlak aan het water lag, werd deze geassocieerd met dragers, witkielen en *bastaixos*, zoals de dokwerkers werden genoemd. Allen droegen genereus bij aan de bouw van de kerk. Op het hoofdaltaar van de Santa Maria del Mar staan twee plompe reliëfbeeldhouwwerken van stuwadoors die hun lading dragen. Niet voor niets is de Santa Maria altijd gezien als een plek voor werklui, mogelijk gemaakt door werklui. Volgens de geschriften uit die tijd staken de meeste mannelijke bewoners van de Ribera die recht van lijf en leden waren, vijftig jaar lang een groot deel van hun tijd in de bouw van de kerk. De laatste van de vier gotische gewelven van de kerk werd voltooid in november 1383.

Massief, vierkant, uitgesproken, zwaar: dit is geen gotiek van kantklossen in steen. De beschermende vorm doet even sterk denken aan de grotten in de Pyreneeën als aan de cisterciënzer kerkforten van Catalonië. Er is geen stemmiger gebouw in Spanje te vinden. Toegegeven, het interieur van Santa Maria del Mar is enorm verbeterd door de antikerkelijken en anarchisten die tijdens de Burgeroorlog in de kerk een enorm vreugdevuur stookten met de kerkbanken, houten beelden, de biechthokjes en zelfs het barokke altaar, dat overigens toch al niet bij de kerk paste. De vuurzee hield elf dagen aan en veranderde de kerk in een roodgloeiende pottenbakkersoven, maar leidde er vreemd genoeg niet toe dat de kerk instortte. Alleen het geraamte bleef over, maar dat geraamte is zo mooi, dat je het verlies van de versieringen niet kunt betreuren.

Het ontwerp van de Santa Maria is als een basiliek, een middenschip met aan weerszijden zijbeuken, die achter het hoofdaltaar samenkomen in een halfronde apsis. Tussen de steunberen, die de zijwaartse krachten van het dak opvangen, zijn kapelletjes ingericht. De pilaren rond het middenschip, die net tot de helft van de hoogte van het schip zelf reiken, zijn eenvoudig en achthoekig. Vanaf hun dunne kapitelen, nauwelijks meer dan vergulde ringen, spruiten de gewelfribben van het dak omhoog. Deze ribben zijn eenvoudige stenen bogen en hun lijnenspel tegen de oppervlaktes van de wanden en de gewelven is meeslepend, puur en streng. Deze spaarzaamheid wordt nog eens benadrukt door de afstand van de pilaren in de Santa Maria del Mar, die met iets meer dan dertien meter groter is dan in enige andere gotische kerk in Europa.

Ik had er als jongetje een hekel aan om gedwongen naar de zondagsmis te kuieren, omdat de St. Mary Magdalen kerk in Rose Bay, Sydney met zijn steriele gipsafgietsels zo lelijk en slaapverwekkend was. Tot op de dag van vandaag is er een schakering blauw met een gemaakte fletsheid die ik niet kan verdragen; het is de kleur die de firma Antonio Pellegrini & Fratelli, kerkelijke inrichters te Sydney, aan het gewaad van de heilige maagd hadden gegeven. Ik kan me echter wel voorstellen dat ik een deugdelijk rooms jongetje was gebleven (nou ja, misschien) als de kerk wat meer als de Santa Maria del Mar was geweest. Anarchisten hadden misschien de vlam in die vrome rotzooi moeten steken, hoewel het beeld van rookwolken tegen het blauw van de Australische lucht misschien te veel zou zijn geweest voor de bankiers en brouwers die de vroegmis hadden bezocht en nu verdiept waren in hun afslagen en *chip shots* op de nabijgelegen Royal Sydney Golf Club.

HOOFDSTUK TWEE

Kon Barcelona, na haar briljante culturele prestaties in de veertiende eeuw, de gang erin houden? Nee, helaas niet, om verschillende redenen. Van geen enkele stad, hoe energiek ook, kan worden verwacht zo'n niveau lang vast te houden. Er werden nog steeds prachtige gebouwen neergezet in Barcelona: uitbreidingen in de vijftiende en zestiende eeuw van het Palau de la Generalitat aan Plaça Sant Jaume, dat het provinciaal bestuur van Catalonië huisvest, zijn daar onder meer getuige van. Eveneens uit die periode stammen de prachtige *palaus* (paleizen) en woonhuizen aan de Carrer Montcada, een opvallend goed bewaard gebleven straat die loopt vanaf een hoek van de Santa Maria del Mar, de Carrer Princesa kruist en eindigt op het kleine Plaça Marcus. Daar staat nog altijd de piepkleine Capilla (kapel) de Marcus uit de twaalfde eeuw, waar in de Middeleeuwen de meeste reizigers naar Frankrijk hun tocht naar het noorden begonnen.

Het is meestal onmogelijk om precies te bepalen wanneer een oude straat is ontstaan, maar de Carrer Montcada is daarop een uitzondering. De straat werd als een gepland geheel uit het niets gebouwd in 1148, ten tijde van Ramón Berenguer, de laatste graaf van Barcelona voor de vereniging van Catalonië met Aragon.

De gebouwen die Carrer Montcada in de twaalfde eeuw karakteriseerden zijn allemaal gesloopt in de vijftiende en zestiende eeuw of later en vervangen door de paleizen van de rijken, die er met hun strenge gevels (zonder inspringingen voor voetgangers) en smalle ramen voor de passant even ongastvrij, zelfs vijandig, uitzien als de *palazzi* aan de smalle straten van Florence.

Zo'n palau werd meestal gebouwd binnen gemeenschappelijke muren en rond een binnenplaats, met opslag- en werkruimtes op de begane grond en een gewelfde trap die, vaak rijkelijk versierd, naar de leefvertrekken en ceremoniële zalen op de hoger gelegen verdiepingen leidde. De meeste van deze paleizen zijn tegenwoordig open voor het publiek, aangepast voor een tweede leven als museum of galerie. Het Palau Dalmases (nr. 20, nu het Omnium Cultural) heeft gewelven uit de vijftiende eeuw, maar het meest opvallend is de trap op de binnenplaats, met delicaat gebeeldhouwde pilaren uit de zeventiende eeuw en een barokke, scherp hellende balustrade gemaakt van gebeeldhouwde taferelen van Catalaanse zeehandel en zeeslagen in marmer en bas-reliëf. Neptunus, met zijn alomtegenwoordige nimfen en zeepaardjes, vecht zich door het witte schuim van steen een weg omhoog langs de steile trap.

Casa Cervelló-Giudice (nr. 25, nu Galerie Maeght) is gebouwd door Catalanen en werd in de achttiende eeuw gekocht door een internationaal handelaar uit Genua. Dit huis heeft veruit de mooiste trap vanaf de binnenplaats, met gewelven die worden geschraagd door pilaren uit de vijftiende eeuw, zo overdreven slank dat ze bij de minste beweging van de ondergrond zouden instorten – op het eerste gezicht zou je zeggen dat ze van gietijzer waren, niet van kalksteen.

Barcelona heeft niet veel barokke bouwwerken omdat de culturele geschiedenis van de stad zich tegengesteld voltrok aan die van Madrid: jaren van voorspoed in de ene stad betekenden vrijwel altijd recessie in de andere, bijvoorbeeld door de toenemende concurrentie van Castilië, door buitenlandse druk, kostbare burgeroorlogen en roekeloze plannen om de stad uit te breiden die Barcelona niet kon bekostigen. De periode vanaf de zestiende tot het midden van de negentiende eeuw gold voor Castilië als de *siglo de oro*, de gouden eeuw. Maar niet in Catalonië, waar hetzelfde tijdvak bekend staat als de *decadència*, een periode waarin weinig opmerkelijks of roemruchts werd bereikt in de schilderkunst, dichtkunst, muziek of bouwkunst. Zelfs de macht van de stad slonk, terwijl Madrid zich stormenderhand ontwikkelde tot een wereldmacht. Er was geen Catalaanse Velázquez en – hoewel hij een tijdje in Barcelona op krachten kwam en het leven en de gewoontes van de stad de hemel in prees – ook al geen Catalaanse Cervantes. In Castilië zijn barok en realisme alles; in Catalonië stellen ze niets voor. Barcelona is bijvoorbeeld karig bedeeld met goede neoclassicistische gebouwen uit de achttiende en vroege negentiende eeuw. Een mooie verzameling daarvan staat aan het water: de Porxos d'en Xifré, ofwel 'de portalen van meneer Xifré'.

Xifré, rijk geworden door transatlantische handel in slaven en koffie, wilde net als vele andere indianos een stempel drukken op zijn woonplaats.

In de Porxos vind je Les Set Portes, niet het beste restaurant van de stad, maar wel eentje met een solide reputatie, dat dezelfde functie vervuld als La Coupole in Parijs of Balthazar in New York: het opdissen van copieuze hoeveelheden regionale gerechten voor een klantenkring die zowel uit autochtonen als toeristen bestaat. Het is een betrouwbaar adres en de moeite van een bezoek waard, ook als je niet opgewonden raakt van het idee te eten aan een tafel waaraan – volgens een bronzen plaatje – Ernest Hemingway eens een maaltijd nuttigde. God mag weten waarom dit als een gastronomische aanbeveling wordt gezien.

De enige andere interessante neoclassicistische paleizen van Barcelona zijn aan de Ramblas te vinden: het Palau de la Virreina (Ramblas nr. 99) en het Palau Moja (Ramblas nr. 118). Het Virreina is lyrisch en bloemrijk geproportioneerd en werd gebouwd door de extreem corrupte kapitein-generaal van Chili, Manuel d'Amat i de Junyent, die in 1761 van de koning het sappigste koloniale vruchtje kreeg toegeworpen: het stadhouderschap over Peru, met als belangrijkste emolument ongecontroleerde macht over de grootste voorraad zilver in de beroemde mijnen van Potosí – een uitnodiging tot plunderen die geen enkele rechtgeaarde Catalaan met lange vingers mogelijkerwijs zou kunnen weerstaan.

Het zou een wrede en ongebruikelijke straf zijn om de

lezer te onderwerpen aan een opsomming van alle burgeroorlogen en ongeregeldheden die Catalonië verzwak-
ten in de opmaat naar en tijdens de siglo de oro, maar ze
moeten toch even worden geschetst. Rond 1462 was er een
chaotisch conflict ontstaan tussen de monarchie en de
heersende klasse, waardoor veel van de langdurende overeenkomsten tussen de troon, het provinciaal bestuur
en het stadsbestuur van Barcelona werden verbroken.
Hierdoor verscheen in 1479 Ferdinand ii als machthebber over Catalonië. Ferdinand trouwde vervolgens met
de aanstaande koningin van Castilië, Isabel i, die, na de
troon bestegen te hebben, de lange onafhankelijkheid van
Catalonië, zeshonderd jaar eerder met Wilfredo de Harige
begonnen, afschafte.

Toen volgde de maaieropstand (1640-1652), een sle-
pend en langzaam voortkruipend bloedbad, begonnen
door landarbeiders die in opstand kwamen tegen de
Habsburgse machthebbers.

Het meest catastrofale van alle conflicten was de deelname van Catalonië aan de Spaanse Successieoorlog tegen de Bourbons, die zich niet lieten verslaan. Deze oorlog begon in 1701 en in de zomer van 1714 was heel Catalonië in handen van de Bourbons gevallen, behalve
Barcelona, dat doorvocht, in de steek gelaten door haar
bondgenoten.

Er waren maar ongeveer tienduizend soldaten in de
stad, een aantal dat al snel werd uitgedund door geweer-
vuur, hongersnood en ziektes. Hun verzet was gekweld en
verbeten, maar het kon niet lang duren. Barcelona gaf

zich over aan het Bourbon-leger, geleid door James Stuart, graaf van Berwick, op 11 september 1714 – een datum die gememoreerd zou kunnen worden als een beschamende dag (zoals 11 september nu in de Verenigde Staten), maar die om een of andere perverse reden nog steeds wordt gevierd als nationale feestdag van Catalonië.

De legende van de tirannie van de Bourbons tijdens de achttiende eeuw leeft voort, maar leidt een rudimentair leven. Toegegeven, er waren wraakzuchtige Castilianen die het liefst hadden gezien dat Barcelona met de grond gelijk was gemaakt en dat haar inwoners de ergst denkbare afstraffing ná de doodstraf moesten krijgen. Maar Felipe was geen buitengewoon wraakzuchtig man en toen Berwicks manschappen eenmaal klaar waren met het opknopen van wat opstandelingen en het slopen van wat gebouwen om hun punt duidelijk te maken, legden de Catalanen zich gemakkelijk neer bij de bezetting, gingen zaken doen met hun bezetters en profiteerden daarvan.

Het ergste dat de Bourbons Barcelona aandeden was het platgooien van honderden gebouwen, vooral huizen en winkels, en het bouwen van een aantal muren in plaats daarvan, waardoor de stad veranderde in een enorm fort: de Ciutadella, of citadel. Het resultaat was dat de militaire bouwwerken ongeveer evenveel plaats innamen als de woonhuizen en bedrijfspanden in de stad. De stad kreeg nieuwe en veel sterkere muren, maar er bleef geen ruimte over om te groeien, iets wat de bewoners zeer ontstemde. De leefruimte in *barris* als de Ribera was al krap bemeten, waardoor ze een ideale voedingsbodem voor epidemieën en ellende waren. Barcelona's grote geestelijke en dichter Jacint Verdaguer keek veel later terug op deze vernederingen en schreef rond 1880:

De gelukkigste wijk van Barcelona is weggevaagd
als een cijfer in het zand, op het strand.
Zoals het water, eenmaal weg, geen spoor achterlaat
van deze stenen, het geraamte van de geliefde stad,
bouwen ze een fort
de onzalige en gehate Citadel,
die groeit in Barcelona als wondroos
midden op een mooi gezicht.

De sloop van de wijk Ribera, die symbool stond voor het sterke moreel van de arbeiders, etste zich diep in het bewustzijn van het volk. De littekens waren vernederend voor elke Barcelonees en de muralles van de Bourbons, de nieuwe stadsmuren die het monsterlijke gezwel van de Citadel tegen het gewonde lichaam van de stad klemden, werden evenzeer gehaat als de burcht zelf. Tot aan de bouw van de Berlijnse muur zal geen bouwwerk zo gehaat zijn door degenen die in de schaduw ervan leefden. De muren belastten elke stedenbouwkundige beslissing en elke mening met extra betekenis. Was je voor de militairen, of voor democratie? Catalaanse onafhankelijkheid of centraal gezag vanuit Madrid? Kerk of staat? Wat je van de muralles vond, verraadde je standpunt. Ze waren een glashelder symbool voor het bepalen van de richting van 'progressieve' ideeën over maatschappelijk bestuur. Alle 'progressieven' en Catalanisten, hoewel die twee niet noodzakelijkerwijs samenvielen, waren het daarover eens. Voordat de stad zijn eigen karakter en identiteit zou kunnen hervinden, moest zij eerst worden verlost van de muralles. Makkelijk gezegd, maar moeilijk uitvoerbaar.

Toch gebeurde het – uiteindelijk, en met grote moeite. Intussen stond Barcelona nog meer rampen te wachten. In de zomer van 1835 laaide een vlaag van gewelddadig antiklerikalisme op onder de altijd al instabiele arbeidersklasse, aangewakkerd door extreme liberalen, in reactie op de absolute monarchisten en de Carlisten. Fernando VII, de ultrareactionaire koning van Bourbon, was in 1833 overleden. Aan het einde van zijn leven had hij zichzelf vergeleken met de kurk in een fles bier: eenmaal eruit, zei hij, zou de vloeistof zich schuimend overal verspreiden. En dat was precies wat gebeurde. Zijn dochter, de toekomstige Isabel II, was zijn troonopvolger. Het idee om door een kindkoningin en via een regent bestuurd te worden vervulde menige Spaanse conservatief met afschuw, inclusief de broer van wijlen Fernando, de extreem reactionaire Carlos María Isidro de Borbón. Zijn aanhangers, die zichzelf Carlisten noemden, wilden hem als koning en weigerden te overwegen – laat staan accepteren – dat een vrouw aanspraak zou kunnen maken op de troon. Het resultaat was een bloedige en vaak onderbroken oorlog tussen de Carlisten aan de ene kant en de liberalen en constitutionalisten aan de andere. Barcelona's stadsmilitie stond achter de liberalen. De Kerk stond, met evenveel overtuiging, achter de Carlisten. Dit gegeven veranderde

Barcelona in een kruitvat dat in 1835 explodeerde in een orgie van antikerkelijk geweld en brandstichting: bekend als Cremada dels Convents, het Platbranden van de Kloosters.

Naar men aanneemt, en dit is inderdaad goed mogelijk, begonnen de onlusten met een hysterische menigte bij een stierengevecht, verontwaardigd over een slecht presterende *corrida*. Maar het geweld overspoelde al snel de hele stad, waarbij tientallen kerkgebouwen werden leeggeroofd, waaronder middeleeuwse meesterwerken als het veertiende-eeuwse klooster van Carme, qua bouwkunst even belangrijk als de Santa Maria del Mar. De woede van de arbeiders vond een tweede doel in het grootkapitaal. Op 6 augustus stak een menigte, demonstrerend tegen de mechanisatie van ambachtswerk, de brand in de nieuwe Bonaplata-fabriek, Spanje's eerste fabriek op stoomkracht en het paradepaardje van de Catalaanse industrie.

Toen, na de branden, kwamen de wetten van Mendizábal. Juan Álvarez (1790-1853), een radicale liberaal die vanaf 1835 minister van financiën was onder Isabel II, zag het als zijn voornaamste taak om de Spaanse economie open te breken en investeringen aan te trekken. Daarom nam hij wat waarschijnlijk de meest gewaagde maatregel in de geschiedenis van de handel in onroerend goed is geweest, in Spanje, of waar dan ook ter wereld.

De grootste grondbezitter in Barcelona (en in de rest van Spanje) was de Kerk en Mendizábal confisqueerde de grond en dwong de Kerk het land te veilen. Daardoor kon viervijfde van de grond binnen de stadsmuren door begerige, seculiere zakenlieden worden opgekocht. Door deze maatregel werd de stad losgesneden uit de dodelijke wurggreep van de Kerk – een traumatische excisie, maar een essentiële.

Het verbaast me nog altijd hoeveel van het negentiende-eeuwse Barcelona en hoeveel van mijn favoriete plekjes in de Barri Gòtic zijn gebouwd op grond die vrijkwam door de wetten van Mendizábal. Plaça Reial van Francesc Daniel Molina bijvoorbeeld: een geweldig plein, omringd door woningen, vlak bij de Ramblas. Iedereen heeft minstens één treurige herinnering aan een gemiste kans om onroerend goed te kopen. Die van mij, die altijd in mijn achterhoofd zeurt als ik op een hete dag een koud biertje drink in een van de cafés aan Plaça Reial, of luidkeels de kop opsteekt als ik op bezoek ga bij mijn vrienden, de architecten Beth Galí en Oriol Bohigas, die in een van de appartementen daarboven wonen, is mijn gemiste kans om een huis aan dit plein te kopen.

In de jaren zeventig was dit prachtige complex – ooit ontworpen als een plein met woningen zoals in Parijs en daardoor vrijwel uniek in Barcelona – treurig en vervallen: een verzamelplaats voor junkies en morsige hoeren, de hoge raamluiken uit het lood hangend, stucwerk gebarsten, de meer dan vier meter hoge plafonds in miserabele staat. Je kon destijds een van die ruïneuze paleizen voor een habbekrats kopen. Anderen deden het. Ik niet. Spijt en verdriet, vooral omdat de inrichting van het plein, met zijn fonteinen en de gietijzeren straatlantaarns van een jonge Gaudí (gietijzer was het brons van de negentiende eeuw in Barcelona), een paar jaar later zo elegant werd gerestaureerd door Federico Correra.

Een ander plekje, nog dierbaarder voor me dan Plaça Reial, is de Mercat de Sant Antoni, de markt van Sint Antonius, gelegen aan de andere kant van de Ramblas, maar iets verder de stad in. Deze officiële naam wordt natuurlijk door niemand gebruikt voor dit overweldigende instituut dat in de volksmond de Boqueria wordt genoemd.

De Boqueria is het knooppunt en het middelpunt voor zowel het gastronomische leven van Barcelona, als voor de dagelijkse maaltijd. Op de plek stonden oorspronkelijk Sant Josep, een klooster uit de zestiende eeuw, en Santa Maria, een veertiende-eeuws klooster. Noem me maar een vraatzuchtige atheïst, maar vergeleken bij de stijging van menselijk geluk door deze geweldige markt betekent het verlies van een paar kloosters niets.

De Boqueria ligt aan de Ramblas en is daarmee gemakkelijk te bereiken voor klanten uit de oude stad, maar moeilijk voor de marktkooplui, die zich met hun karren en ezels, volgepakt met goederen een weg moesten banen door de drukke en smalle straatjes van de Raval. Voor iedereen die serieus van eten houdt – zoals de meeste Catalanen fervent doen – is er geen plek op de wereld als de Boqueria, die enorme overdekte hal vol marktkramen waarop zo'n beetje al het eetbare dat je kunt bedenken – afgezien van mensenvlees – is uitgestald: van gevilde konijnen (hun vochtige ogen verwijtend op de gevoelloze koper gericht), zachte, bruine heuveltjes vers geschoten maar nog ongeplukte fazanten, nette bosjes dikke witte asperges uit Girona, tot ingevroren *angules* of glasaaltjes, duivels duur maar onweerstaanbaar. Bij de ene kraam kun je twintig verschillende soorten olijven kopen en kappertjes in tien variëteiten, een andere heeft twaalf soorten *jamón serrano*, de gedroogde ham uit de bergen die in kwaliteit uiteenloopt van gewoon goed tot de exquise, boterzachte *pata negra* en *jabugo*. De binnenste ring van de Boqueria is ingeruimd voor verse vis en schaaldieren in duizenden verschijningsvormen. Een tiental kramen vecht om de gunsten van de kopers van bacallà, dat hoofdbestanddeel van de Catalaanse keuken. Er zijn meer soorten worst, vers en gedroogd, dan dichters in New Jersey en hun rijke, vette, rokerige smaken veroorzaken diepere dagdromen. En dan waag ik me nog niet aan het opsommen van de groenten en het fruit, alles vers en zojuist geplukt, op het hoogtepunt van het seizoen. Je zou een oceaan overzwemmen voor de *habitas*, of kleine fava-boontjes en nog één voor die kleine, knapperige neefjes van de sla-familie, de samengebalde kopjes van de *cogollons de Tudela*. Ze worden in de lengte doorgesneden, gezalfd met olijfolie en opgediend met een kruisje van niet te zoute stukjes ansjovis; 's werelds lekkerste salade. En dan de kazen. En de yoghurts. En de kruiden en, in het juiste seizoen, de overweldigende hoeveelheden en soorten verse paddestoelen. En de grappen en grollen van de witgejaste vrouwen achter de toonbanken, de viswijven met rode knokkels die met hun enorme, maanvormige hakmessen zwaaien. Die messen zien er middeleeuws uit, maar ze zijn scherp als een scheermes en benaderen de duizelingwekkende precisie van een opera-tiemes. (Ze zijn voor ongeveer vijfentwintig dollar te koop bij de kookwinkeltjes aan de rand van de Boqueria, maar hoe je zo'n enorm wapen langs de antiterroristische beveiliging van het vliegveld krijgt, dat is jouw probleem.) Als er naast de Hof van Eden een groenteboer, slager en vishandel waren geweest, waar je kon proeven hoe het ondermaanse voedsel smaakte vóór de zondeval, dan zou zoiets wel wat lijken op de Boqueria. *'Non si pasce in cibo mortale / Chi si pasce in cibo celeste,'* zingt Mozarts Commendatore nogal snobistisch tegen Don Giovanni; maar als ik het bij de Boqueria zou kunnen kopen, zou ik meer dan gelukkig zijn met het voedsel van stervelingen en kon het manna uit de hemel wat mij betreft verrotten. Sinds de Hallen, die helaas de plaat hebben gepoetst uit het centrum van Parijs, is er geen markt open voor het gewone publiek met hetzelfde karakter, variatie en kwaliteit van voedingswaren als de Boqueria.

Dit alles maakt het de gastronomisch georiënteerde reiziger, die niet kan koken in de hotelkamer, niet gemakkelijk. Mijn eigen oplossing is om altijd wel *iets* mee terug naar New York te nemen, een misdaad zonder slachtoffers die tot dusver niet aan het licht is gekomen. Een *fuet*, bijvoorbeeld, of pudding, of die worstjes zo dun als een ossenstaart, een flinke homp verse Manchego-kaas of een kilo jamón serrano met het bot er nog in. De medewerker achter de toonbank kan het vacuüm voor je verpakken in stevig plastic, zodat de speurhonden op Kennedy Airport er geen lucht van krijgen.

Maar ik dwaal af. Of toch niet? Voor mij is eten zo verweven met elke ervaring die ik in Barcelona heb opgedaan, dat ik me de stad niet kan indenken zónder. Catalaans eten heeft een directheid, een franjeloze en fundamentele kwaliteit, die moeilijk elders te vinden is, behalve in Italië en sommige streken in Frankrijk. Het is een van de grote keukens van de wereld en hoewel recentelijk door sterkoks als Ferrán Adrià getransformeerd tot een performanceachtige uitspatting, een modegril waar culinaire recensenten zo dol op zijn, is de Catalaanse keuken over het algemeen wars van de overdreven complexiteit die het koken zo gekunsteld en decadent doet lijken. Een gastronomie die, ontstaan uit het voedsel van boeren en ambachtslieden, haar afkomst nooit heeft verloochend. Een te 'verfijnde' paella bijvoorbeeld, zonder de *cremada*, de aangebrande korst onder de rijst, wordt niet als echte paella gezien. Je weet, starend met een vork in de hand naar een *butifarra* – de verse varkensworst van Catalonië – met de bijbehorende witte bonen, dat je de Waarheid in het vizier hebt. Beter nog: dat je, op het moment dat je in het licht geblakerde en geblaarde vel snijdt, tevens op het punt staat kennis te maken met de Waarheid van het Worstendom.

Een heel ander en zeker een minder democratisch instituut verrees eveneens in 1847 aan de Ramblas, niet ver van de Boqueria. Het was meer bedoeld voor het verwennen van de oren dan de maag: het Gran Teatre del Liceu, Barcelona's operazaal, de klassieke tegenhanger en voorloper van het Palau de la Música Catalana. Het is gebouwd op een plek waar eens een klooster voor trinitari-sche fraters stond. En ga zo maar door. Al met al kun je zeggen dat Mendizábal de economie redde en – voor een niet gering deel – ook het culturele leven van de stad. Dus: is er een plein naar hem vernoemd? Een brede en mooie straat? Helaas, nog geen steegje! Dit is allemaal te wijten aan de kwaadaardige invloed van een wraaklustige Kerk. De ultraconservatieve kerkvaders van het negentiende-eeuwse Barcelona zouden evenmin hebben ingestemd met het vernoemen van wat dan ook naar degene die hun bezit confisqueerde, dan het rabbinaat van Jeruzalem zou toestaan dat een straat de naam van Goebbels zou krijgen. Er is wel een afgelegen, klein café dat Bar Mendizábal heet, in de Carrer del Junta del Comerç, pal achter de Bo-queria. De hartstochtelijk socialistische eigenaar zal geen moment overwegen om de naam te veranderen.

Het grootste geschenk dat de Bourbons aan Barcelona gaven, is de Ramblas, die sublieme en losbandige avenue, waarvan de naam in het Arabisch 'rivierbedding' bete-kent. De eerste omtrekken van de Ramblas verschijnen op een stadsplattegrond uit 1740 – een brede, onregelmatige en licht gebogen straat in noordnoordoostelijk richting, vanaf de Drassanes aan de kust naar een poort aan de noordelijke kant van de muralles, de stadsmuren. Het was niet meer dan de fossiele, dichtgeslibde rivierbedding van de Cagallel, die door Barcelona naar het westen stroomde en dienstdeed als waterweg en riool. In de achttiende eeuw was dit smerige stroompje zo verstopt met afval en drek dat de bedding werd gevuld en de rivier onder de grond werd gestopt – een begrafenis waartegen het water nog lang in opstand kwam. De Ramblas werd uiteindelijk een min of meer rechte straat, heel anders dan het stelsel van kronkelende straatjes van de oude stad. De autoriteiten eisten een rechte straat, omdat ze bij rellen en oproer een recht schootsveld wilden hebben voor hun hagel. Het werd de eerste echte moderne avenue van Catalonië en een prachtige, met een dubbele rij gevlekte, crèmekleurige platanen. Tegenwoordig *is* de Ramblas voor de meeste mensen Barcelona. Hier vind je de met felle kleuren volgepropte bloemenstalletjes. (Catalanen staan niet bekend om hun subtiliteit bij het bloemschikken.) Hier zijn de kraampjes die vogels verkopen, van vinken en krijsende grasparkieten tot de lugubere, wat luizige toekans met hun enorme, op een kromzwaard lijkende snavels. (Met enige regelmaat ontsnapt er een van de groene Amazonepapegaaien uit zijn kooi en vliegt als een felgekleurde komeet over de stad, om zich bij de kolonie van nazaten van andere ontsnapte papegaaien te voegen, die nu krijsend en klapwiekend de bomen van het Parc de la Ciutadella bevolkt.) Op de Ramblas vind je de 'levende standbeelden' die roerloos op hun kratjes staan, bizar en onaantastbaar stil. Hier vind je vooral ook de mensenmassa: arbeiders, winkelende mensen, kijkende toeristen, *flaneurs*, hoeren, dieven, de rijken en verschoppelingen der aarde, die in een eindeloze stroom op en neer schuifelen over de enorme mozaïekversieringen waarmee decennia geleden de assistenten van Joan Miró het trottoir hebben ingelegd, volop bezig zich als Barcelonezen – echte dan wel tij-

delijke – te manifesteren. De Ramblas is een indrukwekkend en slonzig podium, met een aanzuigende werking
op heel Spanje – en misschien wel heel Europa.

Gelet op de neiging van Barcelona om zich in het vuur te
werpen en er weer uit te herrijzen als een onhandige en
geschroeide feniks, zal het nauwelijks verbazen dat ideo-
logisch geweld in een of andere vorm zoveel sporen heeft
achtergelaten in de stad. Hier dook socialistische theorie
én fantasie al vroeg op en zou altijd aan de oppervlakte
blijven, tot ver in de twintigste eeuw – zo bleek tijdens de
Burgeroorlog.

Een van de exemplarische figuren van de modernise-
ring van Barcelona – hoewel nauwelijks een typisch voorbeeld te noemen, daarvoor was hij te ongewoon en te geniaal – was de uitvinder Narcís Monturiol. Ik had natuurlijk nog nooit van hem gehoord, voordat ik Barcelona
bezocht. Hij had het aangezicht van de stad op geen enkele manier veranderd. Maar op een dag, midden jaren zeventig, kuierde ik in de oude stad door een smal straatje
vol antiekwinkeltjes en hield de pas in toen ik iets raars
zag in een etalage. Het was een scheepsmodel, maar van
een schip zoals ik nog nooit had gezien, ongeveer vijfen-
zeventig centimeter lang, van hout en koper, en gemaakt
met grote precisie en liefde. De vorm deed denken aan
een vis. Hoewel het geen vinnen had, had het wel een
staart met een lichte inkeping, die fungeerde als roer en

als beschermkooi voor een schroef. Het had geen dek, maar iets dat eruitzag als een primitieve commandotoren, omheind met een reling. Het had een glazen neus, in de romp zaten kleine patrijspoorten – en een nogal grote klok, ongeveer dertien centimeter in doorsnee. Dit alles suggereerde dat deze curiositeit een model van een echt vaartuig was geweest en dat dit bekend genoeg was om zonder verdere uitleg als model te dienen. Het stond op een sokkel, met daarop een donker geworden koperen plaatje. Er stond in het Spaans op: Ictíneo, ontwerp van de geniale Narcís Monturiol.

Hier moest ik meer van weten.

Met wat moeite – ik kende niet meer dan een paar woorden Catalaans in die tijd – wist de eigenaar van de winkel me beleefd, maar beslist te vertellen dat hij niet kon geloven dat ik, kennelijk een geleerd man ondanks mijn linguïstische tekortkomingen, nog nooit had gehoord van de grote Monturiol, uitvinder van de eerste Catalaanse duikboot en daarmee in feite de uitvinder van alle latere onderzeeërs. Hij adviseerde een bezoek aan Plaça de Catalunya, aan het einde van de Ramblas, waar ik het monument voor Monturiol kon bekijken dat de eigentijdse beeldhouwer Josep Subirachs, nog het meest bekend als hoofdbeeldhouwer voor de Sagrada Familia, voor hem had gemaakt. En natuurlijk, het monument was er, een grotere versie van de onderzeeërklok in de etalage van de antiekwinkel, uiteraard zonder klok, al varend door een grot in zijn bronzen sokkel vereeuwigd.

Ik dacht aan mijn ('mijn', nu al!) onderzeebootklok en

raakte vervuld van hebberigheid. Ik ben geen verzamelaar, maar af en toe raak ik vervoerd door de curiositeit van iets, door de onversneden eigenaardigheid. *En dan wil ik, dan wil ik...* en toch ging ik die middag niet op een holletje terug naar de antiekwinkel. Er kwam iets tussen, ik ben vergeten wat. Misschien voelde ik me niet zelfverzekerd genoeg om af te dingen, iets wat alle forasters zonder mededogen zouden moeten doen. Ik kwam in elk geval pas twee dagen later terug en toen was de met fluweel overtrokken tafel waarop de Ictíneo had gerust leeg, afgezien van een paar porseleinen herdertjes. Kennelijk had iemand anders in Barcelona ook gehunkerd naar een onderzeeërklok. Konden er twee van zulke mensen zijn in een stad met minder dan drie miljoen inwoners? Kennelijk wel. Ik had mijn kans voorbij laten gaan.

Ontroostbaar strooide ik zout in de open wond die ik aan mezelf te danken had en begon over de Ictíneo en Narcís Monturiol te lezen. Het bleek een verhaal met veel pathos te zijn, dat ook een licht wierp – helder, maar wel onder een bepaalde hoek – op Barcelona zelf. Als uitvinder was Narcís Monturiol i Estarrol (1819-1885) geen succesvolle held, zoals Henry Ford of Thomas Edison. Wat hem zo interessant maakte, was dat hij een tragische held was: een van de potentiële goden van de vroege technologie die het net niet redde, ondanks een ontegenzeglijke genialiteit.

Catalanen in de negentiende eeuw waren er trots op om voorop te lopen, in welke technologie dan ook. En als ze niet de eersten waren in de wereld, wat nooit het geval was, of in Europa, wat zelden gebeurde, dan in elk geval de eersten in Spanje – een stuk minder moeilijk, omdat de technologie en toegepaste wetenschap in Spanje ver achterliep bij de meeste andere landen.

Na 1860 was Barcelona koploper van alle geïndustrialiseerde steden in Spanje, met tweemaal zoveel productiecapaciteit als de rest van het land bij elkaar. Dit was te danken aan de textiel. Barcelona was nummer vier van de wereld in de productie van katoen, na Engeland, Frankrijk en de Verenigde Staten. In Spanje had de stad een monopolie in het machinaal spinnen en weven, als het Manchester van het zuiden. De mechanisatie begon met wat de Spanjaarden een *selfactina* of automatische weefmachine noemden, die in zwang raakte na 1832, een halve eeuw na de uitvinding in Engeland. Rond 1861 had Catalonië 9695 weefmachines en het gebruik ervan voedde Barcelona's tweede industrie: de machinebouw. Aan het einde van het decennium van 1840 ontstonden er tal van grote producenten van katoen en zijde, zoals La Sociedad Textil Igualadina (1847), La España Industrial (1847), Güell, Ramis i Cia (1848) en de gebroeders Batlló (1849). In 1862 namen de machines van de Catalaanse textielindustrie meer dan een derde van de Spaanse stoomkracht voor hun rekening, was onbewerkte katoen Catalonië's grootste importproduct, en zouden de baronnen van deze industrie, de Güells en Batllós, zich ontpoppen tot de beschermheren van een nieuwe bouwstijl.

Het eerste dagblad dat in Spanje werd gedrukt (en het tweede van Europa, na de *Times*), was *El Brusi*, de voorganger van *Diario de Barcelona*. De treinverbinding tussen Barcelona en Sarrià, in 1863 in gebruik genomen, was de eerste hoofdstedelijke metrolijn ter wereld, na die van Londen. De eerste intercity van Spanje verbond Barcelona met Mataró, in 1848. Barcelona had de eerste bioscoop van het land, de eerste telefooncel en de eerste luchtverbinding (naar Mallorca).

Als industriële koploper van Spanje was de stad eveneens het belangrijkste broeinest van arbeidsonrust in Zuid-Europa.

Het politieke leven werd verscheurd door anarchisme en terrorisme. De weg lag open voor linkse ideologieën – vooral voor het anarchisme, dat gedesillusioneerde jonge katholieken aansprak vanwege zijn belofte van een irrationele, hemelse gerechtigheid – en door de enorme macht van de katholieke Kerk en zijn omhelzing van de meest rechtse elementen in het Spaanse kapitalisme. De laatste jaren van de negentiende eeuw voltrokken zich in Barcelona dan ook op een soundtrack van terroristische bomexplosies. De Setmana Tràgica, de Tragische Week in 1909, waarin de stad – alweer – door de eigen burgers in brand werd gestoken, maakte Barcelona tot hoofdstad in de wereld van politiek geïnspireerd geweld. Ook het eerste Arbeiderscongres in Europa vond er plaats, evenals de eerste algehele staking ten zuiden van de Pyreneeën en ga zo maar door.

Eén stroming in de Catalaanse linkervleugel was echter vredelievend en wilde zich alleen maar afscheiden van het kapitalisme en zijn eigen ideale maatschappij vormen; in

Spanje als dat mogelijk was, erbuiten indien nodig. De geestelijke vader van deze beweging was de Fransman Étienne Cabet (1785-1856). Hij vluchtte in 1834 naar Engeland omdat hij werd vervolgd voor het publiceren van een socialistisch vlugschrift en kwam in contact met Robert Owen, een goedhartige en utopistische fabrikant en socioloog. Hij werkte in de leeszaal van het British Museum, een broedplaats voor miljoenen plannen, waar hij teksten verslond over republikeins broederschap, van François-Emile Babeuf, Charles Fourier en Owen zelf. Cabet was geen getikte visionair, zoals Fourier. Zijn milde excentriciteit bestond uit de overtuiging dat de Bergrede van Jezus overduidelijk een vroeg socialistisch traktaat was geweest. Het was gebaseerd op 'zachtaardigheid en liefdadigheid'. 'Hierin vinden we de bron van alle moderne systemen die de wereld in beroering brengen... er is geen verschil tussen de sociale lessen in het evangelie en die van het socialisme.'

Het resultaat van dit geloof was *Viatge por Icària* uit 1839, waarin Cabet een plan beschreef voor een ideale maatschappij (Icaria) door middel van verzonnen dialogen van een Engelse aristocraat (gebaseerd op Owen) en een jonge artiest in ballingschap (Cabet). Voor de meeste hedendaagse mensen zou het Icaria van Cabet een helse plek zijn, het tegendeel van Utopia, zonder vrije wil, waar alles, van voeding tot publicaties, door de staat wordt beheerst en waar geen enkele verstoring is geoorloofd, zeker geen bijverschijnselen van menselijke competitiedrift. Cabets visioen van het intellectuele leven van Icaria is

zelfs onheilspellender dan de giftige modegril van het po-
litiekcorrecte denken op Amerikaanse universiteiten, of
het hersenloze neersabelen van elitarisme door Australische journalisten in de late twintigste eeuw.

De ideeën van Cabet vonden geen weerklank in Frankrijk. Een paar Catalaanse intellectuelen daarentegen liepen er wel warm voor in de jaren na 1840, onder wie zijn
belangrijkste discipel: Narcís Monturiol, socialist, redac-
teur, uitvinder van machines en pionier op het gebied van
duikboten. Hij was afkomstig uit het vissersstadje Figue-
res en wordt daar nog steeds als lokale held geëerd.

In 1847 vormde hij met een paar andere serieuze progressieven een Icariaanse groep in Barcelona. Hun strijd-
lied ging zo:

Desde hoy todos los hombres son hermanos
ni siervo se conoce, ni seño.
Marchemos, O marchemos Icarianos,
tendiendo el estandarte del Amor!

Vanaf vandaag zijn alle mannen broeders,
er zal geen slaaf zijn, geen meester.
Laat ons marcheren, Oh marcheer voort, Icarianen,
terwijl je het spandoek van de Liefde hooghoudt!

'Het universele tijdperk,' stond te lezen in het vlugschrift
van de groep, 'begint met de stichting van Icaria. Op 20 ja-
nuari 1848 is het moment gekomen om de Wereld nieuw
leven in te blazen.'

Dit was de datum waarop Étienne Cabet naar Amerika vertrok om een Icariaanse gemeenschap te stichten op een stuk land bij Shreveport, Louisiana, ten noordwesten van New Orleans, dat hij ongezien had gekocht van een geslepen makelaar. Het bleek een stuk zand en moeras te zijn, waar alleen muskieten en gifslangen goed gedijen. Monturiol ging niet mee met de eerste groep, omdat hij dacht dat zich nog twintigduizend mensen bij de groep zouden aansluiten. Slechts negenenzestig mensen gingen daadwerkelijk. Sommigen pleegden zelfmoord toen ze doorkregen waarin ze verzeild waren geraakt. De overgebleven trokken noordwaarts, naar Nauvoo, Illinois en stichtten daar een nieuwe nederzetting, die het een paar jaar langer uithield. Monturiol zou zich nooit bij hen voegen. Cabet stierf in 1856 aan een gebroken hart in Nauvoo, geteisterd door zijn rancuneuze discipelen.

Dat betekende het einde van Icaria, dat alleen voortleefde als de naam van een arbeiderswijk in Barcelona. Rond 1900 hernoemde het stadsbestuur de wijk tot Poblenou (nieuwe stad). Eén brede straat, die heel toepasselijk doodloopt op het hek van een oude begraafplaats, behield de naam Avinguda d'Icària. Maar in 1992 werd het Olympische dorp, gebouwd voor de Spelen in Barcelona, Nova Icària genoemd – een buitengewoon belachelijk idee, omdat het bij de Olympische Spelen *alleen maar* draait om competitie, iets wat de oorspronkelijke Icarianen juist hadden afgezworen voor hun toekomstige wereld.

En zo vloog het gevoel van innovatie en industriële

vernieuwing over Catalonië als een reddende engel. Het uitvinden van een duikboot hoorde daarbij, of die het nou werkelijk deed of niet. Monturiol werd niet in het minst ontmoedigd door het verdampen van Icaria. Daardoor kwam het accent juist te liggen op zijn grootste talent: het doen van ontdekkingen met behulp van technologie. 'De polen van de aarde,' verklaarde hij, 'de diepten van de oceanen, de bovenste regionen van de lucht: deze drie veroveringen staan ons ongetwijfeld in de nabije toekomst te wachten... en dat is ook de taak die ik op me heb genomen.'

Europeanen droomden er al sinds de klassieke oudheid van om af te dalen in de diepten van de zee. Al vroeg waren er wat geslaagde experimenten: in 1801 bijvoorbeeld dook de Amerikaanse uitvinder Robert Fulton vijf uur lang tot een diepte van honderdzestig voet voor de kust van het Franse Brest, in een duikboot met de naam Nautilus (die Jules Verne zich toe-eigende) en die werd voortgestuwd door een schroef die met de hand moest worden aangedreven.

Maar duikboten met motoren die het ook onder water deden bestonden niet, totdat Monturiol het tweede prototype van zijn Ictíneo lanceerde, een naam die is samengesteld uit de Griekse woorden voor 'vis' en 'schip'. De eerste versie was maar zeven meter lang en verplaatste acht ton aan water. Ze werd aangedreven door vier rondtrappende aquanauten en een van Monturiols collega's, misschien zijn toegewijde vrouw, die in voor- en tegenspoed niet van zijn zijde zou wijken, maakte een vlag: een gouden ster die zijn licht scheen op een tak bloedkoraal, met het motto in Latijn: 'Plus intra, plus extra', wat grofweg betekent 'Ver beneden, ver daarbuiten!' Ictíneo kostte honderdduizend peseta's, een schuld die Monturiol nooit meer af zou kunnen lossen.

Dat schrok hem niet af. De proefduiken van Ictíneo I in de haven van Barcelona werden bekeken door vele enthousiaste Catalanen. De duiken duurden kort, omdat de boot alleen lucht onder normale druk kon bewaren in de kleine romp. Maar het schouwspel was voldoende om de uitvinder tot een lokale held te maken, een Catalaanse Leonardo. Ambtenaren beloofden dat vorstin Isabel II langs zou komen om het duiken te zien. Ze zou nooit komen, ontmoedigd door de wanprestaties van haar eigen zeevloot, maar in de jaren die volgden maakte Monturiol nog zo'n vijftig duiken. Intussen was hij druk doende met het ontwerpen en bouwen van Ictíneo II, die met zeventien meter meer dan twee keer zo lang was als de eerste duikboot en die werd aangedreven door een ingenieuze motor. Die werkte op basis van een chemische reactie stoom op en had daarvoor geen lucht nodig, maar produceerde zelfs vrij in te ademen zuurstof. De boot was ontworpen om naar een diepte van honderd voet te duiken en daar ruim zeven uur te kunnen blijven. Het ontwerp was briljant en innovatief, maar het research kostte Monturiol en zijn socialistische kameraden een fortuin en – naar hun maatstaven – geen klein fortuin.

Ze maakten in de daarop volgende jaren meer dan een dozijn demonstratieduiken in de Ictíneo II. Ze werkte perfect en bleek de meest geavanceerde onderzeeboot ooit bedacht. Als ze verder was doorontwikkeld, had Ictíneo II een strategisch godsgeschenk kunnen zijn voor de Spaanse marine. (Wat zou een kleine vloot goed bewapende Ictíneo's niet hebben kunnen uitrichten tegen de oorlogsvloot van admiraal Dewey, tijdens die beslissende zeeslag bij Manila, die de ondergang van het Spaanse rijk bezegelde?) Maar uiteindelijk kreeg ze alleen maar veel aandacht in de pers, met illustraties van de Ictíneo op jacht naar kostbaar bloedkoraal of verwikkeld in gevechten met andere duikboten. Het indolente ministerie van zeevaart in Madrid stuurde zijn gelukwensen, maar geen contracten of geld. De fabriekseigenaren en staalmagnaten van Barcelona bekeken de grote vis alleen maar met nieuwsgierigheid. In 1868 trokken de financiers van Monturiol de stop eruit en namen de Ictíneo II in beslag. Ze had geen commerciële waarde als schip, dus werd ze gesloopt en als schroot verkocht.

Het feit dat zijn droom niet uitkwam brak Monturiols hart. Bankroet en depressief stierf hij uiteindelijk in 1885, in het huis van zijn schoonzoon in Sant Martí de Provençals.

Tegen die tijd was hij al vergeten in Catalonië, maar waarschijnlijk had zijn faam Frankrijk wel bereikt. In de jaren na 1860 deed Jules Verne research voor *20.000 Mijlen onder zee*. Werd hij voor kapitein Nemo, de commandant van de superduikboot Nautilus, geïnspireerd door Narcís Monturiol? Het lijkt onwaarschijnlijk dat Verne *niet* van Monturiol had gehoord, of 's mans nobele vastberadenheid bij tegenspoed *niet* had bewonderd. Toegegeven, ka-pitein Nemo (wiens naam in het Latijn hetzelfde betekent als de Griekse naam *Outis* die Ulysses aannam: 'nie-mand') lijkt niet erg op de milde Catalaan. Hij is erg rijk, Monturiol zo arm als een kerkrat; Monturiol zette zich in voor broederschap, Nemo was uit op wraak tegen de hele kosmos.

En toch zijn er ook overeenkomsten. Beide mannen zijn utopisten. Als de verteller suggereert dat Nemo te rijk is om zijn eigen kapitalistische belangen te overstijgen, antwoordt de kapitein woedend: 'Wie zegt dat ik mijn geld niet goed gebruik? Denk je dat ik niet weet dat er lij-dende rassen en onderdrukte wezens op deze aarde zijn...? *Begrijp* je het dan niet?' Waaruit professor Aron-nax concludeert dat 'wat het motief ook is dat hem heeft gedwongen zijn onafhankelijkheid op de bodem van de zee te zoeken... zijn hart nog onverminderd klopt voor het lijden van de mensheid.' De Nautilus, rondzwervend bui-ten het bereik van de regeringen op land, is natuurlijk een land op zichzelf en kan worden gezien als een parallel die werd getrokken met zelfvoorzienende utopische staten als Icaria.

De tweede grote fase van Barcelona's zelfverwerkelijking nadat de oude stad was volgebouwd, was de Eixample, wat in het Catalaans 'uitbreiding' betekent – het plan van Cerdà, genoemd naar de bedenker, Ildefons Cerdà i Sunyer (1815-1876), een Catalaanse planoloog. Het was één ding om de muralles te slopen, die diep gehate symbolen van de macht van Bourbon over Barcelona. Ze kwijtraken, schreef een waarnemer, 'was de vurigste wens van elke Barcelonees, het populairste en meest besproken voornemen in het land.' En het was zeker niet alleen een stokpaardje voor links en zijn maatschappelijke ambities. Maar als de stad uit zijn stenen korset zou barsten, welke vorm zou zij dan aannemen? Dat was de grote vraag voor Cerdà en voor iedereen die nadacht over Barcelona.

De eerste stap was het slopen van de muren. Dat duurde even. Hele stukken van de Romeinse muren rond de oude stad zijn tot op de dag van vandaag bewaard gebleven, evenals delen van de middeleeuwse stadsmuren. Maar van de muren die de Bourbons bouwden is niets, maar dan ook niets over. Op de plaats van de gehate Citadel verscheen een park, waarvan de laatste twee decennia Floquet de Neu, of Sneeuwvlokje, een zeer geliefde albinogorilla die onlangs overleed, de voornaamste bewoner was. Ik heb Sneeuwvlokje nooit gezien, maar Doris wel, één keertje.

Cerdà had civiele techniek gestudeerd in Madrid, maar deed zijn sociale ideeën op toen hij oog in oog kwam met de leefomstandigheden van de werkende klasse in Barcelona: de overbevolking, de ziektes, het vreselijke lijden. Hij was een onvermoeibaar onderzoeker en zijn eerste studie naar de werkende klasse, uit 1856, was het eerste systematische onderzoek naar de leef- en werkomgeving van de stad. Het was een zeer gedetailleerde en alarmerende studie. Terwijl de barden tijdens de vroege Renaixença nostalgisch kweelden dat het nodig was de gloriedagen van de Catalaanse Middeleeuwen te laten herleven, was het duidelijk dat als het om hygiëne en voorzieningen ging, het gewone volk in de stad nog steeds in die Middeleeuwen leefde. Hoe meer ellende Cerdà tegenkwam, hoe gekrenkter en radicaler hij werd. In de toekomst moesten Barcelona's werk- en leefomstandigheden verbeteren, of de stad zou ten prooi vallen aan een maatschappelijke implosie. Hoe dit laatste te voorkomen, was het thema van Cerdàs volgende en belangrijkste boek: *Teoría General de la Urbanización y Aplicación de su Doctrina a la Reforma y Ensanche de Barcelona* (Algemene theorie van urbanisatie en toepassing daarvan in de hervorming en uitbreiding van Barcelona), na veel uitstel gepubliceerd in 1867. Een nieuwe tijd kwam eraan, verklaarde Cerdà: 'We leiden nieuwe levens, functioneren op een nieuwe manier; oude steden zijn daarin niet meer dan obstakels.'

De Eixample (of Ensanche in het Spaans) zou de apotheose van rede zijn, een overwinning van het raster als heldere en gelijkwaardige structuur. Cerdà zou waarschijnlijk niet op het idee zijn gekomen de nieuwe stad zo te ontwerpen, zonder de herinrichting van Parijs door Baron Haussmann als voorbeeld voor ogen. Maar er was een groot verschil. Haussmann moest het oude Parijs wegvagen, terwijl Cerdà niets hoefde te slopen. Hij kon Barcelona uitbreiden door op een blanco vel een uniform raster te tekenen, afgezien van een paar dorpjes (Sarrià, Gràcia en nog een paar). Niets stond zijn rasterontwerp in de weg: de droom van elke utopistische ontwerper.

Het was perfect voor Cerdà, een utopistisch socialist, sterk beïnvloed door de Franse ideeën over ideale gemeenschappen. De vervlogen egalitaire fantasieën van Étienne Cabet over Icaria, waarin de ideale stad uit gelijkwaardige delen bestond, hebben veel gemeen met Cerdàs rasterstad. Cerdà zag in elk van de delen van zijn stad een dwarsdoorsnede van de bevolking; er zouden geen 'slechte' of 'goede' wijken zijn. Hij had het visioen van een absoluut regelmatig raster, dat een oppervlakte van bijna negen vierkante kilometer bestreek. Het kon ook tot in het oneindige worden uitgebreid. Elk district van vierhonderd blokken (twintig bij twintig) zou zijn eigen ziekenhuis, park, enzovoort hebben en kon weer worden onderverdeeld in units van honderd kleinere blokken en daarna in buurten van vijfentwintig blokken, elk met zijn eigen school en kinderopvang. Slechts een derde van elk blok (van vijfduizend vierkante meter) zou worden bebouwd; de rest zou worden ingericht als binnenplaats en groenvoorziening, met ten minste honderd bomen.

Maar veel van die verfijningen werden overboord gegooid, dankzij de hebzucht, corruptie en luiheid van projectontwikkelaars, vooral tijdens het lange Franco-tijdperk. De Eixample is vandaag de dag veel dichter en hoger bebouwd, chaotischer in het stratenplan en over het algemeen veel benauwder dan Ildefons Cerdà zich ooit zou hebben voorgesteld. Cerdà ontwierp een standaard huizenblok met ongeveer 216 duizend vierkante meter vloeroppervlak en een maximum hoogte van iets meer dan zeventien meter, later opgetrokken tot bijna twintig meter. In de eeuw die volgde lukte het de ontwikkelaars om deze waarden bijna te viervoudigen tot 914 duizend vierkante meter vloeroppervlak; een stedenbouwkundige ramp, een bezwendeling van de bewoners en een verkrachting van Cerdàs oorspronkelijke plan.

De Eixample is desalniettemin een van de meest interessante stedelijke gebieden in Europa. Het stadsdeel groeide maar langzaam. Pas na 1870, toen de Catalaanse economie een bloeitijd beleefde die bekend staat als *febre d'or* of 'goudkoorts', begonnen de geplande blokken daadwerkelijk bebouwd te raken. Tegen 1872 stonden er ongeveer duizend woonblokken in de Eixample, waarin zo'n twintigduizend mensen woonden. De straten waren onverhard en stoffig. De afvoer van hemelwater was gebrekkig, dus ontstonden na onweersbuien poelen op de braakliggende percelen, waarin zwermen *Anopheles*-muskieten welig tierden, goed voor een malaria-epidemie in Barcelona. In 1888 verscheen een rapport van Pere Garcia Faria, een gezondheidsdeskundige, die duidelijk stelde dat de Eixample vanuit het oogpunt van hygiëne en gezondheid net zo erg was als de oude stad, misschien nog wel erger. De ideale volkshuisvesting was mislukt, door de hebberigheid van huizenmelkers, die de woonblokken hadden veranderd in 'feitelijke achterbuurten, waarin de Barcelonese familie gevangen zit'. De volksgezondheid was de reden geweest om de muren te slopen. Maar dertig jaar later viel de Eixample nog steeds ten prooi aan epidemieën van cholera, tuberculose en tyfus, waartegen de autoriteiten niets uit leken te kunnen richten. En vreemd genoeg – hoewel misschien niet zo heel erg vreemd – kreeg het ontwerp van de Eixample niet de handen op elkaar bij diegenen die Cerdà hadden kunnen steunen: de volgende generatie modernistische architecten. Sommigen van hen, met name Josep Puig i Cadafalch, walgde van de nieuwe stad en stak dit niet onder stoelen of banken, hoewel de gebouwen ervan nu door velen worden gezien als juweeltjes. Puig stak de draak met de 'heilige monotonie': 'die is met niets te vergelijken, behalve dan met de meest armoedige steden in Zuid-Amerika'. Er was meer kritiek, veel meer. Alles wat in de toekomst tegen de nakomelingen van de Eixample in stelling zou worden gebracht, van Le Corbusier's radiale stad tot het Brasília van Oscar Niemeyer, was al gezegd tegen hun gemeenschappelijke voorvader, de Eixample. Alle criticasters vonden dat het een fout was geweest om het stedenbouwkundig ontwerp aan Cerdà, een socialist, over te laten. En niet alle kritiek op de monotonie was helemaal onterecht. Wat de Eixample redt, zijn de meesterlijke gebouwen en de straten, waarvan sommige, zoals de Passeig de Gràcia, geknipt lijken voor processies en parades. Maar het is geen plek om zomaar wat te wandelen, zoals in de oude stad: het stratenplan ontbeert de charme van het onverwachte, de stedelijke hartslag die ontstaat door de afwisseling van schuine en rechte hoeken en variatie in stijl, die wel voelbaar is in de oudere en meer organisch gegroeide steden van Europa.

De drie decennia na het Platbranden van de Kloosters

in 1835 waren moeilijk voor Barcelona. De percelen van de gesloopte kloosters bleven onbebouwd en er was zelden genoeg geld om de plekken te bebouwen die waren geconfisqueerd onder de wetten van Mendizábal. De oude stad raakte verstopt, de nieuwe stad moest nog grotendeels worden gebouwd. Alleen de Ramblas was in de voorgaande halve eeuw ontwikkeld en deze straat, niet de Passeig de Gràcia (destijds nog niet de schitterende boulevard van tegenwoordig), groeide uit tot Barcelona's sociale ruggengraat, met zijn platanen, restaurants en cafés. Het belangrijkste gebouw, dat met veel praalvertoon rond het midden van de eeuw werd geopend, lag niet ver van Plaça Reial, het plein waar de meesten van de bezoekers woonden. Dit gebouw was het Gran Teatre del Liceu, een concertgebouw.

Het is een bijzonderheid in de Catalaanse smaak dat de bewoners voor weinig anders tijd hadden dan voor Italiaanse opera. Symfonische werken? Instrumentale stukken? Vergeet 't maar. *Bon gust* (goede smaak) dicteerde tijdens het grootste deel van de negentiende eeuw zozeer dat zelfs Beethovens Vijfde Symfonie, geschreven in 1808 en nog steeds gezien als schril en nieuw, tot 1881 niet werd uitgevoerd in Barcelona. Maar opera, mits Italiaans, was andere koek. Al vanaf het begin, in het voorjaar van 1847, met de uitvoering van Verdi's *Giovanna D'Arco*, bleef opera veertien jaar lang vaste prik op de menukaart van het Liceu, totdat het gebouw in 1861 (tussen twee voorstellingen) tot de grond toe afbrandde. Er kwam zoveel publieke steun voor de kunstvorm dat het Liceu een fonds in het leven riep en in ijltempo, binnen een jaar, weer openging. De reconstructie door Josep Oriol i Mestres was zo mogelijk nog oogverblindender dan het origineel, met hectares geel en wit marmer, bladgoud, stucwerk en brons, en een wervelend plafond vol geschilderde krulversieringen.

Barcelona was nog niet een echt grote stad en het leven aan de top, zowel sociaal als filantropisch, werd door pakweg twintig families gedomineerd, van wie de meesten hun rijkdom te danken hadden aan de negentiende-eeuwse industrie. De Güells waren, hoewel niet joods, wat de Rothschilds waren voor de financiële kringen in Frankrijk. Als je rijk was, hoefde je niet gek op opera te zijn om respect te winnen. Maar het is te gemakkelijk om dan maar aan te nemen dat de Catalaanse liefhebbers van opera er niets vanaf wisten omdat ze rijk waren. Na 1880 had het Liceu een serieus publiek aan zich weten te binden. Zoals de schrijver en criticus Eduardo Mendoza het omschreef, sublimeerde de interesse voor muzikale kwesties het politieke debat, waardoor 'de opera, met al haar emotionele inhoud, verschillende decennia lang een gemakkelijke en prettige plaats was om te duelleren.'

Het Liceu was alleen in naam een publieke concertzaal, tenminste voor degenen die de kaartjes konden betalen – en het spreekt vanzelf dat geen enkele arbeider dit kon. Er was echter een bijgebouw, de Club del Liceu, direct toegankelijk vanaf de bovenste verdieping en alleen bestemd voor leden: het heilige der heiligen voor de bezitters van loges, hun vrouwen, hun maîtresses en hun vrienden.

Toen het Liceu afbrandde in 1861 en nog eens, in 1994, bleef deze club gespaard.

Er is vandaag de dag waarschijnlijk geen plek in Barcelona waar de sfeer van exclusiviteit, passend bij de onbeschrijflijke vreugde over de welvaart van de late negentiende eeuw, als in amber gevangen, bewaard is gebleven. Vanaf de ingang op de begane grond, weelderig versierd met gebrandschilderde verbeeldingen van de hoogtepunten uit Wagners opera's, tot de rijkversierde eetzaal, tot de ronde kamer met een verzameling schilderijen van Ramón Casas, een Barcelonese impressionist die het boulevardleven van de stad vastlegde – met als hoogtepunt een open wagen met daarop twee mooie meisjes, die recht op je afrijdt met brandende koplampen van veertig watt; het hele gebouw is een meesterlijk periodewerk, vreemd, eclectisch en perfect bewaard gebleven.

De eerste keer dat ik er kwam, bijna veertig jaar geleden, was ik samen met Xavier Corberó en afgezien van twee oudere Catalaanse heren in strakke pakken en puntboordjes hadden we de eetzaal voor onszelf. Onze *rap al all cremat*, zeeduivel met gebrande knoflook en felgroene erwten met munt, werd geserveerd door obers die er ouder uitzagen dan de schildpadden van de Galápagos-eilanden. Vandaag zou zo'n relatieve afzondering in de Club del Liceu nauwelijks mogelijk zijn, omdat deze elke avond tot de nok wordt gevuld door een jongere generatie welgestelden, vergezeld van meisjes uit de *bones families* die, met andere kleding en make-up, zo uit een van de schilderijen van Casas weggelopen hadden kunnen zijn.

Voor een lidmaatschap van de club geldt een jarenlange wachtlijst, net als vroeger. In Barcelona is niets van het oude nog ouderwets.

Het Liceu was het boegbeeld van de hoge bourgeois-cultuur van Barcelona, maar de programmering vond geen instemming bij alle Catalaanse musici. Het probleem was de inhoud: weinig nadruk op orkeststukken, een fixatie op Italiaanse opera en een invloed van private sponsors die buiten alle proporties was – dit alles werd als ergerlijk ervaren. Het versterkte alleen maar het idee dat de enige 'echte' muziek uit het buitenland kwam, een opvatting die de ware Catalanist tegen de borst stuitte. Daar kwam nog eens bij dat het beleid van het Liceu leek te suggereren dat 'gecultiveerde' muziek alleen bestemd was voor de rijken. Dit snobisme botste met de ideologieën van het Catalanisme en socialisme, die borrelden tijdens de opmaat naar de Renaixença; een conflict dat met *cançó popular*, Catalaanse volksmuziek, al snel een hoogtepunt bereikte. De grote stimulator en pleitbezorger van deze muziekstijl was Josep Anselm Clavé i Camps (1824-1875). Clavé zette, vanuit het volk, in heel Catalonië een herwaardering in gang voor koorgezang. Zijn werk stimuleerde de Catalanen om een van hun architectonische meesterwerken te bouwen – een gebouw dat qua bouwkunst veel belangrijker is dan het Liceu.

Clavé was een muzikant, een verzamelaar van liedjes en een socialistisch politicus. Zijn ideeën over de rol die muziek in een maatschappij moest spelen werden gevormd rond 1850: eerst door Abdo Terradas, een socialistische provocateur die preekte dat de democratie die hij voor Catalonië wilde, alleen bereikt kon worden door de verschillende rangen en standen op te stuwen door middel van onderwijs, waarna fabrieksarbeiders de handen ineen konden slaan met winkeliers, en ambachtslieden met intellectuelen. De sleutel voor deze broederschap zou ten dele liggen in muzikale scholing. Muziek, koorzang in het bijzonder, bracht de mensen samen. Het hielp mannen en vrouwen, redeneerde Clavé, 'die veranderd waren in een soort arbeidsmachines,' om door samenwerking en een gedeelde esthetische ervaring hun geschonden waardigheid en zelfvertrouwen terug te winnen. Koorverenigingen, zei hij, zouden de arbeiders in de stad weglokken uit de 'morsige omgeving' van hun kroegen en hun dronken slemppartijen op zoek naar vergetelheid. Zelfverheffing door muziekonderwijs: het was geen grap, niet iets waarover de notabelen konden schamperen. In de jaren na 1860 werden onder Clavé's goede democratische invloed in heel Catalonië koorverenigingen voor arbeiders opgericht, bekend als *cors de Clavé*, Clavé-koren, want Catalanen – vooral de arbeidersklasse – waren dol op vrijwillig samenkomen. Hij regelde hun optredens, wierf dirigenten en leidde die op, voorzag ze van bladmuziek, niet alleen van oude liederen, maar ook van nieuwe.

Clavé's eigen composities waren erg populair. '*Els Flors de Maig*' – 'De meibloemen' uit 1859 was een eeuwigdurende hit onder de Catalaanse koorzangers. Hij schreef ook vaderlandslievende liederen, werkliedjes, lofliederen op de arbeid en wijsjes die de volkscultuur en volksfeesten verheerlijkten. Hij probeerde bovendien zijn carrière in de politiek uit te bouwen, hoewel zijn pogingen op dat vlak bij lange na niet het politieke effect van zijn muzikale werk sorteerden.

Niet de gehele stem des volks werd gezongen – een deel klonk door in voordracht, of als drukwerk. Een bizar instrument van cultureel Catalanisme waren de poëziewedstrijden met de naam *Jocs Florals*, of Bloemenspelen. Deze competitie was een wedergeboorte van een Catalaanse gewoonte die in onbruik was geraakt. Het doel ervan was om te bestendigen dat er een grootse, patriottistische literatuur werd geschreven in het Catalaans, waardoor de Catalanen als vanzelf door het separatistische vuur gegrepen zouden worden. Om dit te bereiken, moest het archaïsch zijn in zijn dictie. Zoals een Mallorcaanse dichter rond 1850 schreef:

Cec d'amor per un llenguatge,
que no tinc prou dominat
emprec el pelerinatge
pel fossar del temps passat.

Blinde liefde voor een taal,
vandaag zo krachteloos,
ik begon aan een pelgrimage
over het kerkhof van oude tijden.

De eerste dichter die aan zo'n 'pelgrimage over het kerkhof' begon, werkte bij een financiële instelling in Madrid.

Hoewel hij zonder twijfel Catalaans was en veel jammerde over zijn *enyorança*, het nostalgisch verlangen naar zijn geboortegrond, ging zijn liefde niet zo ver dat hij er daadwerkelijk ging wonen. Zijn naam was Bonaventura Carles Aribau i Farriols (1798-1862). Hij droomde ervan een Chateaubriand te worden, een Byron, zijn mede-Catalanen aansporend om hun oude vrijheden te heroveren, met name het recht om hun moerstaal te spreken. Met dat doel schreef hij een lofdicht, *'La Pàtria'* – 'Het Vaderland'. Het kunstwerk zou het startsein worden voor de Catalaanse Renaixença. Want daar zat-ie dan, kennelijk weg te kwijnen in Madrid, en realiseerde zich dat zijn moerstaal – *la llengua llemosina*, de Catalaanse tong – de kern van zijn identiteit was. Al zijn herinneringen, vanaf de geboorte, bestaan in die taal. Alleen in het Catalaans kan hij goed denken. 'Laat me weer spreken,' schreeuwt hij uit, overweldigd door het verlies:

> *De taal van die wijze mannen*
> *die de wereld verrijkten met hun gewoontes en wetten,*
> *de taal van de sterke mannen die de koningen dienden,*
> *hun rechten verdedigden en beledigingen wreekten.*
> *Pas op, pas op, ondankbare man, wiens lippen zijn*
> *geboorteaccent spreken*
> *in een ver land en die niet weent,*
> *die denkt aan zijn afkomst zonder de pijnscheuten van*
> *verlangen te voelen,*
> *of zonder zijn vaders lier van de heilige muur te pakken!*

Voor geletterde Catalanen, wrokkig door de politieke dominantie van Madrid, was dit gewaagde materie. En zelfs voor een Australiër in de twintigste eeuw is de klaaglijke en wat defensieve toon – want Catalanen kunnen ook zonder hun geboortegrond te verlaten die pijnscheuten van enyorança voelen – heel begrijpelijk, ja zelfs vertrouwd. Geen van de beide culturen kon hem volledig onderhouden: Aribau koos er vrijwillig voor om in Madrid te werken en bleef er werken, terwijl hij zijn 'verbanning' beklaagde, lang nadat hij 'La Pàtria' had gepubliceerd. Hoewel hij waarschijnlijk net zo goed werk had kunnen vinden bij een van de florerende banken van Barcelona's energieke handelseconomie – iets waarover hij zich ietwat schuldig voelde, wat leidde tot het flirten met opgeklopte onafhankelijkheid en deugd. Maar ondanks zijn status van banneling, of misschien juist daardoor, werd Aribau gezien als de grondlegger van het literaire Catalanisme en zijn collectie patriottistische denkbeelden zou het discours over Catalaanse onafhankelijkheid de komende halve eeuw beheersen, met als eindresultaat een geïdealiseerd, feodaal verleden.

Elk jaar, sinds 1859, zou een kleine elite van Catalanen samenkomen in Barcelona om lofdichten op de Catalaanse deugden en geschiedenis voor te dragen, in een taalgebruik zo zeldzaam, pompeus en ouderwets dat maar weinig anderen ze konden volgen, zelfs al waren ze Catalaan. Maar hun overtuiging van de noodzaak van het Catalaans als spreektaal en als literair medium werd wel breed gedeeld, omdat, zoals de aartsconservatieve bisschop van

Vic, Josep Torres i Bages in *La tradició catalana* (De Catalaanse traditie) schreef: 'Het woord of de taal is de manifestatie en de gloed van het belang van een volk, het beeld van zijn verschijning, en degene die de taal kent, kent het volk dat deze taal spreekt; als de taal verdwijnt, verdwijnt ook het volk.'

Tot diep na 1880 werden de Jocs Florals gezien als de 'ruggengraat', zoals een schrijver het omschreef, van de Renaixença; ze waren het jaarlijkse bewijs dat de Catalaanse taal de voornaamste uitlaatklep van een verheven nationalistisch gevoel was. Ze waren op een bepaalde manier een herleving van de Middeleeuwen, hoewel de oorspronkelijke Jocs Florals – een wedstrijd van troubadours waarin dichters dongen naar prijzen van het hof – niet vaak gehouden lijken te zijn. Naar verluidt voor het eerst in 1324, toen zeven jonge edelmannen in Toulouse bijeenkwamen en besloten om dichters en troubadours uit alle Països Catalans uit te nodigen om het volgende jaar mee te doen aan een *eisteddfod*, een dichterswedstrijd.

Aan het begin van de vijftiende eeuw waren de Jocs Florals al bijna een traditie in Barcelona. Er waren drie prijzen te winnen. De derde prijs was een zilveren viooltje. De tweede prijs was een gouden roos. Maar de eerste prijs was een *flor natural*, een echte roos. Die zou natuurlijk verwelken en vergaan, maar dat was bedoeld als geheugensteuntje dat geen enkel kunstwerk kon wedijveren met de natuur. De trofee zou verwelken; het gedicht zou voortleven in de harten van de lezers.

De Jocs Florals hielden in de Middeleeuwen op te bestaan en waren al snel niet meer dan een herinnering, zeker geen levende traditie. Pas in 1860 werden ze weer tot leven gewekt, toen het schrijven en dichten in het Catalaans weer voet aan wal begon te krijgen.

Maar laten we het paard niet achter de wagen spannen. Het Catalaans is niet bewaard gebleven door het simpele feit dat een paar dichters de taal wensten te gebruiken en veel moeite deden om dat ook te doen. Wat het behoud en voortleven van het Catalaans garandeerde was, heel simpel, de gewone taal. De mensen bleven het maar spreken, ondanks belachelijke en – uiteindelijk – niet te handhaven decreten daartegen vanuit Madrid, dat met het verbieden van de taal hoopte het zelfbeeld te verwoesten waaraan dit gemolesteerde volk vasthield. Mensen spreken geen taal omdat daarin vaderlandslievende gedichten worden geschreven en ze houden er niet mee op als de gedichten worden gecensureerd. Ze spreken een taal en blijven deze spreken omdat ze die leerden, lang voordat ze leerden lezen. Of, zoals Aribau het noteerde: 'Mijn eerste kindergehuil was in het Catalaans / toen ik de zoete melk uit mijn moeders tepel zoog'. Als het Catalaans niet als streektaal zou zijn gesproken door de bewoners van Barcelona en de rest van Catalonië, zou de taal uitgestorven zijn, net als het gebruik van Latijn uitstierf, de ranken verwelkend in de wijngaard van de maatschappij. Maar dat gebeurde niet.

Voor een buitenlander is Catalaans een gemiddeld moeilijke taal om te leren, maar zeker niet lastiger dan Spaans of Italiaans, allebei Latijnse talen, waarop het veel lijkt. Het is zeker niet zo onverwacht moeilijk als Baskisch. Niemand, de Basken incluis, lijkt ook maar het vaagste idee te hebben waar het Baskisch vandaan komt. Het raakt aan geen enkele andere taal die op deze wereld wordt gesproken; het verband tussen het Catalaans en Latijn is daarentegen duidelijk en ongecompliceerd, het resultaat van de Romeinse bezetting, meer dan tweeduizend jaar geleden.

Een deel van het bijzondere karakter van het Catalaans, of *fet differencial*, zoals de Catalanen het zelf zouden noemen, is (om het wat simpel te stellen) dat het afstamt van het platte potjeslatijn dat de Romeinse soldaten spraken en niet van het 'hoge', literaire Latijn. Daarom heeft het Catalaans zoveel woorden gemeen met andere op Latijn gebaseerde Europese talen. 'Angst' in het Catalaans is *por*, in het Italiaans *paura* en in het Frans *peur* en ga zo maar door, allemaal afkomstig van het Latijnse *pavor*. Maar in het Spaans is het *miedo*, een afgeleide van het 'hoge' Latijnse woord voor angst, *metus*.

De officiële lijn van het Franco-regime was dat Catalaans een soort gedegenereerd Spaans was, boerenspaans, verslonsd, in het beste geval niet meer dan een dialect. Dit is nooit het geval geweest. Het zijn duidelijk verschillende talen, elk met een eigen linguïstische integriteit. Als je het belang van een taal afmeet aan de literaire werken die er in die taal zijn geschreven, dan is het zonneklaar dat Castiliaans Spaans dominant is. Maar wat wil je, als de sprekers van het Catalaans zo'n minderheid vormen in de hele Spaanse bevolking? Dat wil echter niet zeggen dat er geen

Catalaanse meesterwerken zijn; volgens sommigen is de beste Spaanse vroeg-ridderlijke roman een parodie op een hilarische en bij vlagen scabreuze Catalaanse vertelling, genaamd *Tirant lo Blanc*. Maar deze roman wordt vaker aangehaald in academische kringen, dan met enthousiasme gelezen door gewone mensen.

Niet iedereen in Barcelona spreekt Catalaans en in feite is het begrip 'Catalaans' voor officiële doeleinden geen verwijzing naar de taal. Er is te veel migratie geweest uit andere delen van Spanje, met name uit Andalusië. En omdat iedereen in Barcelona natuurlijk Spaans spreekt, worden degenen die er komen wonen en *alleen* Spaans spreken weinig gestimuleerd om Catalaans te leren en dagelijks te spreken.

En dus, toen ik mijn handvol Catalaanse zinnetjes uitprobeerde in de hoop in elk geval een elementair praatje over het weer te kunnen houden in deze vreemde taal, mislukte dat volkomen. Als degene die ik aansprak (barpersoneel, bijvoorbeeld) Catalaans was, antwoordde hij of zij uit beleefdheid in het Spaans om het voor de vreemdeling gemakkelijker te maken. Of men antwoordde in Spaans om duidelijk te maken dat men niet verwachtte dat een foraster ooit genoeg begrepen kon hebben van de oude, melodische, complexe en rijke taal van Catalonië om welk gesprekje dan ook de moeite waard te maken. Hoe dan ook: je bleef je een buitenstaander voelen.

HOOFDSTUK DRIE

Het is een merkwaardig feit – nou ja, of het een feit is, daarover kun je redetwisten, maar wat mij betreft is het een feit – dat hoewel Barcelona in de vijfentwintig jaren tussen 1885 en 1910 een bloeiperiode in de bouwkunst beleefde, iets dergelijks niet plaatsvond in de schilder- of beeldhouwkunst.

Deze periode zou later wel de voedingsbodem blijken voor twee Catalaanse schilders die een wereldwijde impact zouden hebben op de schilderkunst na 1920 en zonder wier werk de moderne kunst en het surrealisme in het bijzonder, veel aan rijkdom had gemist: Salvador Dalí (1904-1989) en Joan Miró (1893-1983).

Maar in de laatste decennia van de negentiende eeuw, het tijdvak dat Catalanen met graagte hun Renaixença noemden, voegde de schilderkunst weinig toe aan de substantiële roem van de Europese kunst aan het einde van de eeuw, en kon het werk zich maar zelden meten met de schilderkunst van de Parijse school, hoewel er vakkundig, geestig en soms meeslepend werd geschilderd in de Barcelonese studio's van Ramón Casas, Santiago Rusinyol en anderen. Barcelona was een voedingsbodem voor Picasso, maar hij was geen Catalaanse kunstenaar – hij was op doorreis. Barcelona kende niemand van een vergelijkbare grandeur als de Duitse Adolf Menzel, Isaac Levitan in Rusland of Frederic Church in de Verenigde Staten, of kunst die zich zelfs maar met het beste werk van Arthur Streeton in Australië kon meten. Een van de dingen in de Catalaanse schilderkunst die me diep troffen, toen ik er in de late jaren zestig voor het eerst wat voorbeelden van zag in het Museu d'Art Modern in Barcelona, was hoeveel het leek op het soort impressionisme waarmee de musea van Sydney en Melbourne vol hingen – een tonaal impressionisme, voornamelijk afstammend van James McNeill Whistler, wiens invloed zich na 1890 uitstrekte van Londen, Parijs, New York tot plaatsen zo ver van elkaar verwijderd als Melbourne en Mexico Stad. Het had net zo goed werk van Tom Roberts of Arthur Streeton kunnen zijn, met een iets valer licht en zonder de gombomen.

Catalonië's Renaixença laat zich niet vertalen als 'renaissance'. Catalonië beleefde nooit een 'renaissance', niet in de Italiaanse betekenis. Wat het wel beleefde, was een periode met over het algemeen aangename, maar grotendeels op ander werk gebaseerde schilder- en beeldhouwkunst en een schat aan verbazingwekkende en bijna onwaarschijnlijk originele architectuur.

Domènech i Montaner (1849-1923) was de grote theoreticus, en bovendien een praktisch alleskunner, van het Catalaanse architectuurnationalisme. Hij was erg bereisd en belezen en een geleerde in alles, van het smeden van ijzer tot middeleeuwse heraldiek. Als zoon van een Barcelonese boekbinder was hij een proteïsch figuur: een begenadigd ontwerper, een historicus met ervaring in veldwerk, een nationalistisch politicus, een inspirerende leraar en een uitgever die het bedrijf van zijn vader, Editorial Montaner i Simón, uitbouwde tot Spanje's voornaamste uitgever van *éditions de luxe*. Hoewel politiek gezien conservatiever dan de Engelsman William Morris, was hij een vergelijkbare en evenzeer verrukkelijke persoonlijkheid.

Hij worstelde met een groot probleem: hoe kon je de kenmerken van een nationale bouwstijl definiëren? Elk gesprek over ontwerpen en bouwen, zo stelde hij in een manifest uit 1878, moet zich hierop richten. Schrijvend kunnen we vertellen wie we zijn. We kunnen ons een schilderkunst voorstellen die vergelijkbare uitspraken doet. Net als muziek. Maar kan de bouwkunst dit ook? En zo ja, hoe? Door welk gebruik van materiaal en stijl? In zijn manifest legde Domènech de basis (in theorie in ieder geval) voor een bouwstijl die waarachtig en regelrecht modern kon zijn, zonder het regionale accent te verliezen.

Als Europeanen van het einde van de negentiende eeuw, redeneerde hij, leven we allemaal in een cultuur die in zekere zin op een museum lijkt. Dankzij de vermenigvuldiging van beeltenissen, door publicaties en reproducties, hebben we toegang tot een enorme collectie prototypes en vormen. We kunnen Griekse, gotische, Vitruviaanse, Indiase, Egyptische en islamitische bouwstijlen kopiëren en het siert ons om in alle vakbekwaam te zijn. Maar geen van deze stijlen zijn representatief voor onze belangrijkste mythe: geen andere dan de Technologie. In een wereld van staal, glas, chemie en elektriciteit, schrijft Domènech, 'bepaalt de wetenschap van de mechanica de beginselen van de architectonische vorm' en 'alles luidt het begin van een nieuw tijdperk voor de bouwkunst in.'

De eisen van de bouwkunst, ging hij verder, gaan verder dan puur academische. Spanje heeft twee belangrijke bronnen van bouwkunst. In Catalonië de Romaanse en gotische bouwstijlen, met name in Barcelona. De andere, in het zuiden, is islamitisch: Granada, Sevilla, Córdoba. De één sluit de andere niet uit en lokaal patriottisme moet die suggestie ook niet wekken. Een waarlijk nationale bouwkunst, zei Domènech, moet beide gebruiken, uit beide kracht putten, maar zal niet ontstaan door ze alleen maar te kopiëren. 'Alleen samenlevingen zonder vastomlijnde ideeën,' schreef hij, 'die heen en weer zwaaien tussen de gedachten van gisteren en vandaag, zonder vertrouwen in die van morgen – alleen deze samenlevingen lukt het niet om hun geschiedenis om te zetten in duurzame monumenten.' En, als je nadenkt over het Amerikaanse postmodernisme van een eeuw later, met het wijsneuzig rondstrooien van referenties aan andere architectuurstijlen, besef je dat hij gelijk had!

Domènech citeerde zelf trouwens ook, en onophoudelijk. Maar hij deed het doordacht en gedreven. Hij was nog maar zevenendertig toen hij werd gevraagd twee van de belangrijkste gebouwen te ontwerpen voor de Wereldtentoonstelling van 1888 in Barcelona. Het Café-Restaurant bestaat nog altijd en is een mijlpaal in modernista-ontwerp gebleken. Het Hotel Internacional werd na de tentoonstelling gesloopt, maar wat we er nu nog over weten bewees dat Domènech toen al, op deze voor een architect prille leeftijd, een meester was in systeembouw. Barcelona had destijds geen hotels die zelfs de meest fervente Catalaanse chauvinist als eersteklas zou bestempelen (men slaat trouwens nog steeds de eigen hotels veel te hoog aan in reisgidsen). Maar hij klaarde de klus, een ongelooflijke prestatie gemeten naar moderne maatstaven van bouwmanagement, door het Hotel Internacional – een staalconstructie van vijf verdiepingen, bekleed met baksteen en terracotta pleisterwerk, met zestienhonderd kamers en een gevel over een breedte van meer dan honderdvijftig meter – binnen budget en op tijd op te leveren. We weten niet hoe goed het tegen intensief gebruik en de tand des tijds bestand was geweest, maar het volbrengen van het project alleen al was een fenomenale organisatorische prestatie.

Het Café-Restaurant is echter nog steeds in ons midden en is nu in gebruik als het zoölogisch museum. Het ziet er middeleeuws uit, met zijn kantelen en witte schilden van keramiek. Sommige van die schilden werpen echter een licht vooruit op Pop Art; ze zijn beschilderd met reclameleuzen voor Catalaanse producten, zoals de drankjes die het Café-Restaurant serveerde, in plaats van familiewapens – een luchthartige parodie op Domènechs eigen interesse in heraldiek.

Het gebouw is gebouwd met gewone bakstenen en industrieel staal. Door de combinatie van middeleeuwse elementen en moderne materialen geldt het Café-Restaurant als een vroege mijlpaal van het modernisme.

Het gebruik van bakstenen werd in 1888 bijna gezien als het zondigen tegen de etiquette. Baksteen was 'dom' materiaal. Het Catalaanse woord voor baksteen, *totxo*, betekent zelfs ook 'lelijk' of 'dom'. Het idee om een gebouw voor festiviteiten te bouwen met baksteen was ongehoord in Catalonië.

Maar Domènech vond dat baksteen wél gebruikt kon worden. Je kon er praktisch elke vorm mee maken die je wilde: platte Catalaanse bogen, ronde Moorse bogen, tapvormige uiteinden van balken, blok- of ruitpatronen, snaakse, gemetselde nissen voor deuren en ramen, of kraagstenen. Omdat de stenen werden gemaakt van Catalaanse aarde, was het ook een patriottistisch materiaal. Het was *clar i català*, zoals hij, zijn jongere collega Puig i Cadafalch en ook Gaudí het omschreven: zuiver en Catalaans. Hetzelfde gold voor het gebruik van staal, zuiver en sober, waarover Domènech even expliciet was. Hij liet de stalen constructie zien en deed geen moeite om de ijzeren kozijnen en deurposten van het Café-Restaurant te camoufleren. Hij gebruikte wel versieringen, geschilderd, geglazuurd of gegoten, maar nooit om de onderliggende constructie te verhullen – een gewoonte die tot in het extreme is doorgetrokken in de dikke laag rozen van keramiek en mozaïek rondom de steunpilaren van zijn Palau de la Música, gebouwd van 1905 tot 1908.

Het Palau de la Música Catalana en het enorme Hospital de la Santa Creu i Sant Pau (dat twee jaar later werd opgeleverd), zijn de meesterwerken uit Domènechs lange

Domènechs Hospital de la Santa Creu i Sant Pau

en gevarieerde carrière. Beide laten ze zien hoe geniaal hij was als innovatief stedenbouwkundige. Voor het ziekenhuis werd hij geacht binnen de beperkingen van Cerdàs raster voor de Eixample te werken, maar het was zo'n groot project – negen complete stadsblokken – dat hij zich daar niets van aantrok.

Barcelona had tot 1900 nooit een goed ziekenhuis gehad. Het oude Hospital de la Santa Creu (Heilige Kruis Ziekenhuis) in de wijk Raval, naast de Ramblas, dateerde uit de vijftiende eeuw. Gelukkig voor de Barcelonezen brandde het in 1887 volledig af. Er moest dus een nieuw ziekenhuis worden gebouwd. Het was logisch om het in de Eixample te bouwen, in een deel van de stad met minder verkeersdrukte en minder mensen. Na wat handjeklap van de bestuurders, werd het werk aan Domènech gegund.

Hij kreeg een enorm perceel toegewezen – ruim 14 hectare stedelijke grond. Een deel daarvan werd bouwrijp gemaakt en uitgegraven. De tuinstad die er zou verrijzen maakt een hoek van vijfenveertig graden met het rasterstramien, omdat Domènech had verklaard dat hij walgde van 'de eindeloze monotonie van door ruimte gescheiden parallelle lijnen.' Het bouwterrein zou dan worden omgetoverd in een enorme kelder, met daarin alle ruimtes voor de voorzieningen van het ziekenhuis: de operatiekamers, opslagruimtes, distributie, machines – allemaal ondergronds. Op het maaiveld zouden, omgeven door tuinen, een rijkelijk versierde entree en de achtenveertig paviljoens voor het personeel en de patiënten verrijzen.

Het Hospital de Sant Pau was destijds niet zomaar een gebouw, maar een volledig ingerichte omgeving. Het doel van die inrichting was deels om het welzijn van de patiënten te bevorderen. Domènech vierde zijn fantasie bot op de details van elk gebouw om de patiënten op te monteren en de associatie van het ziekenhuis met dood en lijden uit te bannen.

De gevels flonkeren van mozaïeken die de geschiedenis van ziekenhuizen vanaf de Middeleeuwen uitbeelden. Achthoekige pilaren ondersteunen lage koepels en de hele vestibule baadt in een gouden licht dat naar binnen valt door de gebrandschilderde *claraboia*, het koepelraam. Domènech geloofde, net als Henri Matisse, dat kleuren een echt therapeutisch effect hadden. Door het zien van kleuren wilde je herstellen en verder leven. Zijn zoon herinnerde zich dat 'het materiaal, hoe gewoon ook, edel werd... in het Hospital de Sant Pau, ...hij dacht dat alles dat de zieken een gevoel van welbevinden kon geven, ook een vorm van therapie was.' Met inventiviteit en vol vuur ontwierp Domènech het bruisende landschap van paviljoendaken en de overvloed aan beeldhouwwerken – allegorisch, historisch of alleen maar decoratief – die het oog van de bezoeker overal vangen. Hij liet de beeldhouwwerken uitvoeren door twee vooraanstaande beeldhouwers, Eusebi Arnau en Pau Gargallo, die op hun beurt weer tientallen assistenten en keramisten inhuurden.

Merkwaardig genoeg staat er niets geschreven over het Hospital de Sant Pau in de Engelse reisverslagen van die tijd. Maar misschien is dat helemaal niet zo raar, omdat dit geweldige complex door Anglo-Amerikaanse ogen, gewend aan de lugubere strengheid van hun eigen ziekenhuizen destijds, niet eens werd opgemerkt zijnde een ziekenhuis.

Het hoogtepunt in Domènechs carrière was evenwel het Palau de la Música Catalana. Het was het enige echte instituut van modernistische cultuur dat in de jaren na 1890 in Barcelona verrees en daarna een bloeitijd beleefde die tot op de dag van vandaag voortduurt. Het huisvestte een koor, het Orfeó Català, dat was opgericht om het werk van Josep Clavé, de drijvende kracht achter de wedergeboorte van de Catalaanse volksmuziek rond 1860, voort te zetten. Het Orfeó was opgericht door twee jonge mannen, die Clavé nooit hadden ontmoet, maar hem en zijn werk adoreerden. Ze waren allebei gek van cançó popular.

Zij zouden Clavés werk verbreden door met volksmuziek voor het gewone publiek een brug te slaan naar *música universal*, de klassieke muziek. Hun koorvereniging van *orfeonistes* zou volksmuziek vermengen met symfonische en korale werken van Bach, Beethoven, Händel, Wagner, Haydn, Berlioz en Mahler. Vooral de werken van Wagner zouden een grote rol spelen. Clavé was gek op Wagner, maar zijn enthousiasme werd niet breed gedeeld in het Barcelona van rond 1860. Dit veranderde echter rond 1870; muzikale Catalanisten zagen de toekomst in, zoals een van hen het omschreef, 'Wagnerisme, als instrument tot en teken van nationale cultuur.'

Waarom sponnen de Catalanisten zo'n cultus rondom Wagner? Omdat ze een parallel zagen met hun eigen wens om een mythe van nationale identiteit te creëren voor Catalonië, zoals Wagners werk dat had gedaan voor Duitsland. Wagners helden hadden Catalonië bezocht, hun heilige bergen waren zijn heilige bergen. 'Mijn naam luidt Parsifal en ik kom uit Montsalvat' – Catalonië *was* het Spanje van Wagner.

En er is een algemener geldende verklaring. De antiquiteit van Wagners thema's contrasteerde met de gedurfde moderniteit van zijn composities. Dit paste perfect binnen de geest van de Catalaanse Renaixença, die nu doorsijpelde in de meest geavanceerde architectuur van de stad. Wagner had de *Ring der Nibelungen*-cyclus geschreven als een stichtingsepos voor Beieren – zoals *Aeneïs* van Vergilius dit was voor Rome – en met als missie om de

Palau de la Música, detail van de buitenkant

identiteit van het Germaanse ras te beschrijven. De Renaixença was evenzeer gericht op en geobsedeerd door de kennelijke uniciteit van het Catalaanse ras. De beweging wilde zijn 'modernisme' vinden door een geïdealiseerd verleden, hoewel absoluut mythologisch, op te roepen.

Geen wonder dus dat Catalanisten Wagners opera's als hulpmiddel zagen om de mythes uit een legendarisch verleden te combineren met de overkoepelende mythe van vooruitgang en innovatie. Ook Duitsland had een cultuur van verlangen en weinig succesvol idealisme – enyorança, zoals de Catalanen het omschreven. Wagners visioen van 'totaalkunst', waarin alle kunstvormen een rol speelden, appelleerde sterk aan architecten die vanuit een lange, ambachtelijke traditie de talenten wilden combineren van schilders, keramisten, bronsgieters, smeden, schrijnwerkers, glazeniers, mozaïekmakers en metselaars. Al deze disciplines zijn in een zeldzaam hoog niveau van vakmanschap vertegenwoordigd in het Palau de la Música, het meest Wagneriaanse gebouw van Barcelona, en van de wereld.

Telkens als ik het Palau bezoek, verbaast het me. Je raakt nooit gewend aan Domènechs vindingrijkheid en durf. Er is waarschijnlijk geen architect te vinden die subtieler en gewaagder was in zijn kleurengebruik dan deze Catalaan. Het gebouw is eigenlijk vrij klein: het perceel beslaat iets minder dan veertienhonderd vierkante meter, slechts een fractie van dat van het Liceu. Ruimte om het publiek te imponeren met grote architectonische gebaren was er dus niet. Kleur zou die functie moeten vervullen.

De vlakke booggewelven van de foyer, bekleed met licht okergekleurde en aquamarijne tegels en de trap met zijn kloeke goudglazen leuningspijlen bereiden je voor op het auditorium.

Dat zal je niet teleurstellen. De concertzaal van het Palau is net een grote doos, gemaakt van roze glas. Vanuit het midden van het plafond stulpt een spectaculaire claraboia naar beneden, als een omgekeerde klok of een hangende borst. Als motief heeft deze lichtkoepel een kring van engelachtige koorzangers, badend in roze en blauw licht van boven.

Domènechs poging om de constructie van het Palau zo licht mogelijk te houden strekt zich zelfs uit tot de kroonluchters, die als enorme Byzantijnse oorbellen rond de hoofdpilaren van het auditorium lijken te zweven. Domènech heeft het steen en glas van de gotiek omgezet in staal en glas en maakte daarmee de link tussen oud en nieuw precies duidelijk. Het grootste gewicht van het auditorium wordt gedragen door een stalen constructie; daardoor is de zaal in feite een doos met glazen wanden, waar het daglicht door binnendringt. Het decoratieve effect hiervan is spectaculair. De praktische nadelen waren echter ook groot: Josep Pla, een plaatselijk essayist, beklaagde zich eens over het achtergrondlawaai van brouwerijkarren op kinderhoofdjes terwijl hij naar Chopin probeerde te luisteren. Het Palau heeft een echte vliesgevel, een van de eerste in de wereld, met alle akoestische problemen van zo'n bouwwijze. Voor een concertzaal is het nauwelijks een voordeel te noemen.

Toen het Palau werd opgeleverd, bleken de kosten ongeveer het dubbele van het oorspronkelijke budget (875 000 peseta's in plaats van 475 000). Dat leidde tot wat kritiek van de gewoonlijk zuinige Catalanen, die klaagden dat het project iets miste wat zij als nationale deugd zagen: *seny*, of gezond verstand. Maar stap er vandaag binnen en je realiseert je dat het goedkoop was, ook al was het vijf keer zo duur uitgevallen, zeker na de schitterende restauratie in de jaren negentig door de architect Oscar Tusquets.

Alsof het Palau nog niet opzichtig genoeg was, werd het ook nog eens versierd met ingewikkelde beeldhouwwerken. Die vertellen verhalen en impliceren gedetailleerd de culturele affiniteiten, gebaseerd op Clavé's overtuiging dat volksmuziek en klassieke muziek, evenals lokale en internationale cultuur, in elkaars verlengde lagen. Op de gevel wordt de klassieke muziek bijvoorbeeld uitgebeeld met busten van Palestrina, Bach, Beethoven en – wie anders – Wagner. Op een van de hoeken, uitstulpend op de straat als een stenen voorsteven, is een allegorie over Catalaanse volksliedjes te vinden, onder een beeld van een rebellerende *segador* uit de zeventiende eeuw, compleet met sikkel en baret.

De meest spectaculaire beeldhouwkunst van het Palau is echter bewaard voor de concertzaal. Dit beeld, of misschien zou 'manifest' een betere benaming zijn, is het *proscenium*, ontworpen door Domènech op basis van een idee van Lluís Millet. Op het eerste gezicht schijnt het te vloeken met de rest van het gebouw; het lijkt gemaakt van wit pleisterwerk (in werkelijkheid zachte puimsteen), en ziet er spookachtig en vreemd uit tegen de drukke achtergrond van kleurig keramiek en glas.

Aan de linkerkant beeldt de prosceniumboog cançó popular, de volksmuziek uit. De boog bevat een buste van Josep Anselm Clavé, met daarnaast een wilg. Een art nouveau-meisje met golvend haar vlecht een guirlande van bloemen die aan zijn sokkel lijkt te ontspringen; wat lager verzamelt een ander meisje bloesem. Het onderwerp van dit beeld is een beroemd lied, geschreven door Clavé, *'Els flors de Maig'* – 'De meibloemen':

Een meisje, onder een knotwilg
vlecht vrolijk haar gouden haar
haar blik is als een koele kristallen fontein
ze is getooid met bosviooltjes.

Aan de andere kant van het prosceniumn wordt de klassieke muziek gepersonifieerd met een buste van Beethoven tussen twee Dorische zuilen. (Dorisch, de bouwstijl van het Partheon, werd gezien als een klassiek symbool bij uitstek, simpel en masculien. Beethoven werd door de Catalanen gezien als een klassiek componist, niet als een exponent van de Romantiek. Hetzelfde lot viel hem ten deel in zijn geboorteland Duitsland.) Beethoven staat duidelijk lager dan Clavé, die over zijn hoofd heen lijkt te turen.

Boven dat hoofd ontstaat nieuwe muziek. Een grote wolk van stenen damp, inspiratie suggererend, ontspringt tussen de Dorische zuilen en trekt omhoog, om samen te smelten met Wagners Walküre op hun gevleugelde rossen. Ze razen in stilte langs de bovenkant van de prosceniumboog, op weg naar Clavé en zijn knotwilg – de inventiviteit van nieuwe, buitenlandse muziek die uitreikt naar de wortels – ook letterlijk – van de oude Catalaanse cultuur.

Koor en orkest worden door deze enorme witte metafoor omkaderd, als een permanente herinnering aan het oorspronkelijke doel van het Orféo. De kleur komt dan weer terug op de achterwand van het toneel: een hemicyclus, ontworpen door de keramist Eusebi Arnau, als permanente achtergrond voor veranderende muzikale programma's. Deze halve cirkel, gemaakt uit *trencadís* of gebroken tegels, bestaat uit achttien driedimensionale maagden die achttien verschillende instrumenten bespelen, van fluit tot citer. Hun lichamen verdwijnen onder de taille in de muur en zijn met elkaar verbonden door een slingerende guirlande. Maar hun hoofden en bovenlichamen zijn net als de instrumenten driedimensionaal.

Geen enkel modernista-gebouw in Barcelona kreeg, of zou ooit zo'n uitzinnige ontvangst krijgen, als Domènechs Palau de la Música Catalana. Het was volgens de jury die het de prijs van het Ajuntament voor het beste gebouw van 1908 toekende, 'karakteristiek voor het geniale en de kunstzinnigheid van Catalonië, zo sterk als haar ras, groots als haar historie en prachtig als haar onvergelijkbare lucht.' Natuurlijk verloor, toen zo'n twintig jaar later onder critici de draagkracht voor het modernisme afnam, ook het Palau wat van zijn luister. In de buurt kreeg het de naam Palau de la Quincalleria, het Paleis van Catalaanse Rommel. Er werd altijd geklaagd over de akoestische eigenschappen die, omdat het palau in feite een glazen doos is, steevast niet deugden. Sommigen suggereerden de slopershamer. Maar het Palau is nooit echt in de vergetelheid geraakt en dat zal nu – gelukkig – ook nooit meer gebeuren. Wat het redde van de ondergang, was – afgezien van de bouwkunst zelf, met al z'n agressieve gedenkwaardigheid – de rol die het speelde als kweekvijver voor muzikaal talent en katalysator voor het Catalaanse patriottisme. Er is waarschijnlijk geen muzikant te vinden die, na het geluk te hebben gehad er op te mogen treden, niét de neiging had om te klagen over de tekortkomingen, om nog maar te zwijgen van die van het Orféo Català. Maar het palau lijkt symbool te staan voor de essentie van de Catalaanse muziekcultuur en geen enkele ander muzikaal instituut, afgezien van Carnegie Hall, geniet zo'n intense en verzengende loyaliteit onder de grote artiesten. Pau Casals was eraan verknocht; de zevenjarige Alicia de Larrocha debuteerde er in 1929; en ik zal nooit vergeten hoe Montserrat Caballé haar imposante boezem een bijna hoorbare opdoffer gaf en uitriep (tijdens een podiuminterview dat ik met haar hield): 'Morgenavond zal ik zingen in *mijn* Palau.' Het management van het Palau kon weliswaar een tikkeltje behoudend zijn, maar wist uiteindelijk toch altijd de veranderende smaak in muziek bij te benen. Het Palau is het enige culturele instituut (er is niets vergelijkbaars op aanverwante gebieden als literatuur of visuele kunst) dat het klaarspeelde om meer dan een eeuw lang zowel Catalanistisch als internationaal te zijn – en daarmee bewees dat een sterke, regionale cultuur niet per definitie provinciaal hoeft te zijn. Niet in Barcelona, noch ergens anders.

De beroemdste architect – en voor veel mensen, vooral voor buitenlandse toeristen, de meest beroemde mens – die Barcelona ooit voortbracht, werd op een junidag in 1926 door een tram overreden toen hij de Gran Via overkuierde, vlak bij de hoek met Carrer Bailén. Kennelijk was hij diep in gedachten verzonken én bijna doof, waardoor hij lijn 30 niet zag naderen, noch de waarschuwingen van omstanders hoorde. Hij was een ouwe zonderling in een versleten zwart pak. Zijn zakken waren leeg (afgezien van, volgens één lezing, wat sinaasappelschillen), hij had geen legitimatie of geld op zak en werd in het begin voor een van die duizenden verlopen gepensioneerden gehouden, die de straten van de stad bevolkten. Pas later, op zijn sterfbed in een ziekenhuis, ontdekte men dat het ging om de 74 jaar oude Antoni Gaudí, architect van de nog onvoltooide tempel Sagrada Familia en een dozijn kleinere (maar volgens velen betere) gebouwen in of net buiten de stad.

De Sagrada Familia, of Templo de la Sagrada Familia (tempel voor boetedoening van de Heilige Familie), zoals de hele naam luidt, is onbetwist het bekendste gebouw

De Sagrada Familia in de jaren '20

van heel Catalonië. De tempel is voor Barcelona wat de Eiffeltoren voor Parijs is, of de Harbour Bridge voor Sydney: een onvervangbaar logo. Omdat de tempel nog niet is voltooid, bestaan er veel misverstanden over, te beginnen bij de miljoenen toeristen die de Sagrada Familia jaarlijks bezoeken en denken dat het een kathedraal is. Maar Barcelona had al een hele mooie kathedraal – en al sinds de Middeleeuwen. De Sagrada Familia was bedoeld als, zoals de naam al zegt, een 'tempel' waar Catalanen (en uiteindelijk de hele katholieke wereld, hoopte Gaudí) zouden samenkomen om boete te doen voor de zonden van 'moderniteit'; de zonden die Christus, de heilige maagd Maria en Christus' stiefvader St. Jozef – als hij tenminste niet te druk was met timmeren – zo vreselijk en dodelijk hadden beledigd. Bezien in de context van de kerkhistorie was hier wel wat voor te zeggen. In de laatste decennia van de negentiende eeuw was de katholieke Kerk door allerlei krachten steeds meer onder vuur komen te liggen, zoals door het atheïsme, door geloof in de wetenschap, ongehoorzaamheid en twijfel. Die ontwikkelingen werden door de kerkleiding op één hoop geveegd en aangeduid als 'modernisme'. Het was de aanleiding voor massale achterhoedegevechten vanuit Rome. Paus Pius ix ageerde tegen de groeiende liberale dreiging met de *Syllabus van Dwalingen*, een lijst die vrijwel elk vooruitstrevend of kritisch denkbeeld over zonde, geloof of plicht bestempelde als aanstootgevende ketterij, af te straffen met het vagevuur. Extreme dogma's, zoals de pauselijke onfeilbaarheid, werden uitgevaardigd. Het is waarschijnlijk juist om te stellen dat tussen 1830 en de dood van de ultraconservatieve paus Pius ix in 1878, de katholieke perceptie van ketterij meedogenlozer was dan tijdens de kruistochten. De Kerk kon dan wel geen lijken van zondaars meer verbranden, maar ze kon hen wel verstoten uit de kerk, deelname aan de heilige sacramenten ontzeggen en hen dreigen met eeuwigdurende straf in het hiernamaals – en deed dit ook. Gaudí, voor wie de boetedoening aan een ontoegeeflijke god de kern van het geloof vormde, was de juiste architect om dit idee in steen te vertalen. De Kerk wilde een nieuwe contrareformatie bereiken door het opkrikken van het geloof tot een welhaast sektarische verering van Jezus, Maria en de heiligen. Gaudí schiep zijn tempel met dat doel voor ogen. Het zou een extatisch repressief gebouw moeten worden, dat zou helpen bij de verzoening voor de 'excessen' van democratie. Niet alleen was Gaudí roomser dan de paus, hij was royalistischer dan de koning, ook al vond hij dat die niet veel voorstelde vergeleken bij de paus. Iedereen die ten onrechte denkt dat radicalisme in de kunst onverbrekelijk verbonden is met politiek radicalisme en dat het als doel heeft om de mensheid geluk te brengen, zal door Gaudí op andere gedachten worden gebracht. 'Iedereen moet lijden,' zei hij eens tegen een leerling. 'De enigen die niet lijden zijn de doden. Hij die een einde zoekt aan het lijden, wil dus dood.'

Gaudí werd in 1852 geboren in Reus, een middelgroot provinciestadje op de Baix Camps (de lager gelegen vlaktes) van Tarragona. Hij stamde af van een familie van ?

bachtslieden, ijzersmeden getrouwd met leden van andere smidsfamilies, generaties lang. Hun werkplaats, vlak bij Reus, stond bekend als Mas de la Caldera, ofwel het 'huis van de ketelaar'.

Het landschap van Tarragona was, toen Gaudí een jongen was, nauwelijks veranderd sinds de Romeinen het bijna tweeduizend jaar eerder hadden verkaveld en uitgedeeld aan Romeinse kolonisten. Gaudí ontwikkelde een gepassioneerde interesse voor planten, dieren en geologie. De natuur, zei hij later, was 'het grote boek, altijd open, dat we onszelf zouden moeten dwingen te lezen.' Elke constructie, elke versiering: het was allemaal voorspeld door de natuur, in de grotten van kalksteen, het glimmen van het schild van een kever, of in de grillige ribbels op de stam van een oude olijfboom.

De natuur bleef voor Gaudí gedurende zijn hele leven een bron van inspiratie – en van bouwmateriaal. Elke straatsteen van de Passeig de Gràcia heeft als motief een zeester en een octopus, een ontwerp dat oorspronkelijk voor Casa Batlló was bedoeld. Schildpadden schragen de pilaren van de Geboortefaçade van de Sagrada Familia, waarin bovendien dertig verschillende plantensoorten, uit Catalonië en het heilige land, in steen zijn gekopieerd. Paddestoelen veranderen in koepels, of pilaren met kapitelen. De pilaren van Güells crypte zijn vormgegeven als stenen boomstammen, met de gewelfribben die als takken in elkaar zijn gegroeid.

Gaudí wist en vergat nooit hoe op het platteland met steen, klei en hout werd gebouwd – materialen die (zei hij, zonder ook maar enig belang aan de uren voor ontspanning te hechten; die moesten de landarbeiders maar welwillend opofferen ter meerdere glorie van God en misschien ook wel van Gaudí) 'de boeren zelf in hun vrije tijd kunnen vergaren.' Zo diende de ruige, stenen terrasmuren van de Baix Camps als inspiratie voor de 'rustieke' zuilengalerij van Parc Güell. In zijn latere levensjaren, toen hij de figuren voor de Geboortefaçade van de Sagrada Familia maakte, begon hij letterlijk kopieën van de natuur te maken, door vogels en zelfs een ezel met chloroform te bedwelmen en ze in gips te gieten. Soms kreeg het maken van deze afgietsels gruwelijke trekjes: omdat het niemand, en zeker de harige en kinderloze patriarch Gaudí niet, lukte een baby stil te laten zitten, kreeg hij toestemming van de zusters van het oude Hospital de la Sant Creu om afgietsels van doodgeboren kindertjes te maken, toen hij deze nodig had voor het tafereel van de 'slachting van de onschuldigen'. Op een oude foto van een van Gaudís werkplaatsen lijkt zijn studio nog het meeste op een knekelhuis, of de grotwoning van de verschrikkelijke reus van Polyphemus uit de Odyssee, met aan elke muur gipsen ledematen en lichamen.

Twee dingen vond Gaudí werkelijk belangrijk: als eerste dat de vormen en bouwkundige principes afgeleid konden worden uit zielloze materie zoals planten; en als tweede zijn eigen ambachtelijke achtergrond.

Zijn afkomst was erg belangrijk voor de architect. Hij zag zichzelf niet als een theoreticus, maar als een handwerksman. Hij zei, zonder twijfel oprecht gemeend, dat hij alles over ingewikkelde welvingen en de sterkte van oppervlakken leerde door zijn vader ijzer en koper te zien slaan; hoe hij vormen maakte zonder ze eerst te tekenen en uit een banale, platte vorm wondertjes van volume en afsluitbaarheid hamerde. Hieruit kun je precies afleiden dat Gaudí geen 'moderne' architect was, tenminste niet op de manier waarop Mies, Gropius en Le Corbusier 'modern' waren. In tegenstelling tot hen en zelfs tot zijn Catalaanse tijdgenoten Domènech i Montaner en Puig i Cadafalch, dacht Gaudí niet in conceptuele ruimte, maar in 'manuele' ruimte. Anderen lieten zich leiden door een stramien; Gaudí gaf er geen moer om. Je zou op basis van een bouwtekening niet eens een goed beeld krijgen van zijn werk op latere leeftijd. De oppervlakken draaien en golven. Ruimtes waaieren uit, blazen zich op tot serieuze proporties en zijgen dan weer ineen. Gaudí hield niet van tekenen; tekeningen bevatten niet genoeg informatie over de ingewikkelde ruimtes en uitsparingen die aan zijn hoofd ontsproten. Hij maakte liever modellen, van hout, papier, klei of koolrapen.

De instinctieve voorkeur van Gaudí voor het haptische boven het conceptuele werkte in zijn nadeel toen hij architectuur studeerde, van 1873 tot 1877, in het gebouw van de Llotja van Barcelona. Omdat hij verveeld raakte door abstracties en niet gemakkelijk in termen van orthografische projectie kon denken (tekenhaakarchitectuur: grondplan, gevel, dwarsdoorsnede), presteerde hij slecht als student – niet de eerste keer dat een genie zich op school niet als genie ontpopte. Zijn docenten waren meer geïnteresseerd in het overbrengen van de basisbeginselen van greco-Romaanse ontwerpen en versiersels, dan in het lesgeven in wat Gaudí het meest boeide: de rurale, streekgebonden bouwstijlen ('architectuur zonder architecten') en de Catalaanse Middeleeuwen. Beide smolten samen, zo begon Gaudí te geloven, in een uniek gevoel dat nationalistisch geworteld was en alleen in Catalonië tot uitdrukking gebracht kon worden. 'Onze kracht en superioriteit ligt in de balans van gevoel en logica,' schreef hij, 'terwijl de noordelijke rassen obsessief te werk gaan en gevoel onderdrukken. En de zuidelijke, verblind door overdadig kleurgebruik, de rede overboord gooien en gedrochten scheppen.' Dit, hoewel onwaar, onthult niet alleen Gaudís regionale gedachtewereld, maar ook, in de laatste zeven woorden, dat hij kennis had gemaakt met de *Caprichos* van Goya.

Eén middeleeuws complex in het bijzonder sprak in hun tienerjaren tot de verbeelding van Gaudí en zijn boezemvriend Eduardo Toda i Güell: het klooster van Santa Maria del Poblet, op de Baix Camps van Tarragona, niet ver van Reus. Dit eens machtige cisterciënzer sticht was ontstaan in het midden van de twaalfde eeuw en had flink geprofiteerd van de kerkelijke bouwgolf tijdens de veertiende eeuw, onder het bewind van Peter de Ceremoniële. Hij, en alle andere vorsten van Aragon en Catalonië na hem, lagen er begraven. Daarmee had het de functie van een nationaal pantheon van belang, zowel historisch als patriottistisch. Wat bouwstijl betrof was Poblet het mooiste cisterciënzer gebouw van Catalonië: massief, streng en eenvoudig. De kapittelzaal, met negen gewelven die op vier centrale pilaren steunen, gold met de Santa Maria del Mar en de Saló del Tinell als de belangrijkste uitingen van vroeg-Catalaanse gotiek.

Maar in de tijd dat Gaudí en Toda jongens waren, was Poblet een ruïne en dat maakte dat ze het idiote en vrome plan opvatten om het in elk geval tot een herinnering te restaureren, een aansprekend overblijfsel van vergane glorie. Voor hen was het een essentieel symbool van katholieke suprematie en Catalaanse identiteit, dat door de liberalen in naam van vrijheid en burgerrechten was verwoest. 'Wat is vrijheid?' vroeg de jonge Toda in een woedend gedicht, als het betekende:

Het openbreken van grafstenen
en het vernielen van de graftombes van helden
het zaaien van dood en angst, overal...
en tot puin slaan van monumenten...
als dit vrijheid is, dan vervloek ik het!

Als gevolg hiervan versmolten in Gaudís gedachten het religieus conservatisme – hoe extremer, hoe beter – met de herinnering van de Catalaanse identiteit. De wetten van Mendizábal, die de Kerk hadden gedwongen haar bezittingen te verkopen, hadden Poblet veroordeeld tot leegstand en verval. Gaudí alleen kon de restauratie natuurlijk niet opbrengen. Er moesten weldoeners worden gevonden. En hij moest ook nog werken aan zijn eigen carrière als architect. Uiteindelijk kwam niemand over de brug om de renovatie van Poblet te bekostigen, maar Gaudí vond wel een mecenas voor zijn eigen werk – het soort weldoener waarover elke kunstenaar droomt, iemand die al je creatieve obsessies deelt en zich niet afvraagt wat die gaan kosten. Het was Eusebi Güell i Bacigalupi, industrieel, opkomend politicus en een cruciaal edelman binnen het Catalaanse establishment.

Gaudís eerste bouwwerken voor Güell waren een paleis in Barcelona en een *finca*, een landhuis, op een berghelling bij het middeleeuwse klooster van Pedralbes. Van de Finca Güell zijn alleen het hek van de hoofdingang en de flankerende verblijven door Gaudí ontworpen. Maar dat hekwerk (1884) is verbazingwekkend: een enorme, uit gebogen ijzer gemaakte draak houdt erin de wacht, als illustratie van een gedicht van de laureaat van de Catalaanse religieuze dichtkunst, Jacint Verdaguer.

Het paleis aan de Carrer Nou de la Rambla is wel geheel door Gaudí ontworpen. Hiermee begint de volwassenheid van Gaudís carrière als kunstenaar, en het is het eerste van een serie gebouwen die zijn postume roem rechtvaardigen. Het was destijds zijn paradepaardje; hij werkte lang en hard aan het ontwerp en maakte drie complete versies van de gevel, voordat hij tevreden was. Alles, vanaf de parabolische ingang tot de houten jaloezieën die het balkon aan de achtergevel afschermen als de schubben van een gordeldier, ademt de sfeer van onverzadigbare vindingrijkheid.

Het is ook een heel theatraal gebouw en dat maakt het erg geschikt voor zijn huidige functie als bibliotheek van het Institut del Teatre, het Theaterarchief van Barcelona. Het theatrale begint al in de kelder, waar Güell zijn koetsen parkeerde en zijn paarden op stal zette. De ruige gewelven rusten op gedrongen, dikke stenen pilaren met kapitelen gemaakt van gebakken aarde en lijkend op paddestoelen: een grotachtige, Wagneriaanse crypte.

Vanaf het begin deelden Gaudí en Güell een fascinatie voor de morbide retoriek van boetedoening. Die zou zich door de jaren heen verder ontwikkelen en verfijnder worden. Af en toe resulteerde die fascinatie in een somber mengsel, maar andere keren – mits beheerst toegepast – was het resultaat een meesterwerk, zoals de pilaren en kapitelen in Palau Güell, die de uitbouw aan de gevel schragen. Gehouwen uit staalkleurig grijs kalksteen uit een mijn in Garraf die tot het Güell-imperium behoorde, lijken ze even radicaal modern als de beeldhouwwerken van Brancusi (die Gaudí natuurlijk nooit had gezien). Hun gestroomlijnde en subtiele concave vorm, de uiterste puurheid van hun lijnen: ze lijken in niets schatplichtig aan andere bronnen, hoewel de kapitelen van de dertiende-eeuwse eetzaal van Poblet vermoedelijk als inspiratiebron hebben gediend.

Een ander uniek aspect van Palau Güell is het dak: het is een meesterwerk, een acropolis van schoorstenen en ventilatieschachten, gedomineerd door een centrale torenspits met daarin de hoge, slanke koepel van de belangrijkste salon.

Er staan twintig schoorstenen op het dak, die allemaal min of meer dezelfde vorm hebben: een obelisk of een kegel op een schacht die weer op een sokkel staat, het geheel bekleed met stukjes tegel of glas. Deze manier van betegelen bestond al eeuwen vóór Gaudí, hoewel buitenlanders veelal denken dat Gaudí de uitvinder was. Het is bekend onder de naam 'trencadís', afgeleid van het Catalaanse werkwoord *trencar*, dat 'breken' betekent. Het is een uitvinding van de Arabieren in Spanje, maar Gaudí was de eerste architect die deze techniek nieuw leven inblies. Je kunt er gebogen oppervlakken mee betegelen en het is goedkoop, omdat je afval als bouwmateriaal gebruikt. Gaudí was gefascineerd door trencadís, door de manier waarop de mozaïekstukjes en de veranderingen in kleur en patroon speelden met de robuustheid van vormen en de gelijkmatigheid daarvan lieten verdwijnen. Het is ook zeer goed mogelijk dat trencadís aan de wieg heeft gestaan van het kubisme, want de jonge Picasso, die een stukje verderop in de Carrer Nou de la Rambla woonde, moet de schoorstenen van het palau bijna dagelijks hebben gezien. De schoorstenen zijn bovendien een prelude op de serpentineachtige, eveneens met trencadis betegelde bank van Parc Güell, die Gaudí en zijn briljante maar minder bekende collega Josep Marià Jujol ontwierpen als onderdeel van een grootschalig (maar financieel onsuccesvol) woningbouwproject op Mont Pelat, boven Barcelona.

Güell wist als verlichte kapitalist dat het in zijn belang was om wrijving tussen het werkvolk en het management te verminderen. Hij dacht hierin te slagen door paternalisme en niet door het regeren met een ijzeren vuist, wat bij andere fabrieken in Barcelona tot oproer, stakingen en het slopen van machines had geleid. Dus besloot hij om een zelfstandige *colònia* te stichten, een industrieel dorp ten zuiden van Barcelona, aan de oevers van de Llobregat, waar katoen, fluweel en corduroy gemaakt zouden worden. De werkers zouden er afgesloten zijn van de verleidingen van de grote stad. Ze konden er wonen, werken en samen bidden onder het wakend oog van een goedhartige baas. In al hun noden zou worden voorzien. De Colònia Güell, zoals het bekendstond, zou een eigen kliniek en ziekenhuis hebben, maar ook een bibliotheek en zelfs een eigen voetbalvereniging. Natuurlijk moest er ook een kerk komen, die Gaudí zou ontwerpen.

Gaudí begon over de kerk na te denken in 1898 – de eerste steen werd pas in 1908 gelegd. Toen Eusebi Güell tien jaar later stierf, was de crypte nog steeds niet afgebouwd en staken de kerkmuren nog maar amper boven het maaiveld uit. Een paar van Gaudís schetsen die bewaard zijn gebleven tonen een monsterlijk bouwwerk met parabolische torenspitsen, dat helemaal niet op z'n plaats had geleken op het Catalaanse platteland, hoewel je je het antwoord van Gaudí, dat de middeleeuwse kathedralen in het begin ook niet in het vlakke land van Noord-Frankrijk leken te passen, voor kunt stellen. Maar hoewel het slechts een stukje van een droom is, blijft de crypte van Colònia Güell een van Gaudís meesterwerken, een gebouw dat wild en willekeurig expressief *lijkt*. Totdat je de logica achter de constructie begrijpt: dan wordt de crypte méér dan zomaar een droom en ontstaat een van Europa's meest indrukwekkende bouwwerken.

Gaudí ontwierp de constructie van de crypte onderste-boven, met touw en kleine zakjes loodhagel. Om het grondplan van de crypte te bepalen, hing hij een touw vanaf elk punt waar een pilaar de vloer zou raken. Hij verbond de hangende lijnen met weer andere touwtjes om bogen, balken en gewelven te simuleren en maakte aan elk touw een zakje hagel vast, waarvan het gewicht op de milligram nauwkeurig was bepaald, om op die manier de druklast op elk punt te simuleren. Geen van de lijnen in dit gecompliceerde vogelnestje hing loodrecht naar beneden. Alle lijnen stonden onder rekspanning – de enige manier waarop een touw, dat geen enkele weerstand tegen buigen heeft, 'wil' hangen.

Vervolgens fotografeerde Gaudí het lijnmodel uit alle hoeken (72 foto's, met stappen van vijf graden, maakten samen een weergave van driehonderdzestig graden van het model) – *en draaide de foto's op hun kop.*

Rekspanning werd zo drukkracht en deze lijnmodellen gaven Gaudí een visuele basis voor het maken van geavanceerde en moeizame overdrachtsberekeningen. Hij kon op deze manier vormen zonder stalen wapening ontwerpen, die traditionele metselaars konden bouwen in een baksteentechnologie die ongewijzigd was sinds de veertiende eeuw, toen de lange, bijna vlakke boog voor het koor in Santa Maria del Pi werd gebouwd. Gaudí wilde een ruimte bedenken die zowel nieuw als heel archaïsch was. De pilaren die het dak van de crypte dragen zijn zeskantige 'staven' van basalt, afkomstig uit een mijn in Noord-Catalonië en niet vastgemetseld, maar vastgezet in lood. (Dit geeft de verbindingen ruimte om – welis-waar onzichtbaar weinig – te bewegen. Cement was tij-dens zulke bewegingen afgebrokkeld.) De pilaren hellen op een manier over die doet denken aan de vormen van oeroude schuilplaatsen: de grot, de overhangende rots, de holle boomstam. Rafael Puget, een van Gaudís tijdgeno-ten en een vriend van Josep Pla, noemde Gaudí 'geen ont-werper van huizen, maar van grotten; geen bedenker van tempels, maar van bossen.' Zo leek het in 1920, en ook vandaag nog. En als je van mening bent dat de crypte van Colònia Güell een geweldig prototype is geweest voor de veel latere, met computers ontworpen bouwwerken van Frank Gehry, dan heb je groot gelijk.

De beste samenwerking tussen Gaudí en Josep Julol, afgezien van Parc Güell, vond plaats in opdracht van een andere textielbaron: Josep Batlló i Casanovas. Het Casa Battló aan de Passeig de Gràcia werd niet vanaf de grond af opgebouwd. Het was een drastische renovatie (1904-1906) van een dertig jaar oud appartementengebouw. Toen Gaudí eenmaal klaar was, hadden alleen de origine-le vloeren de renovatie overleefd – en zelfs die niet alle-maal. Jujol en Gaudí bouwden een nieuwe gevel, een gol-vend mozaïekwerk dat zich rond de als botten vormgege-ven kozijnstijlen krult – een vlak vol veranderende, waterige kleuren dat op niets lijkt, behalve op een van de *Nymphéas*, Claude Monets enorme, glinsterende schilde-rijen van lichtspel op water. Deze voorgevel is een van de prachtigste, meest verfijnde attracties in Spanje, een ge-droomd juwelenkistje met een dak dat niet alleen ge-

Casa Batlló

maakt lijkt van gigantische schubben van keramiek, maar dat ook is. De façade van Casa Batlló was bedoeld als hommage aan San Jordi, de schutspatroon van Barcelona. De schubben hoorden bij de draak die hij doodde, net als de kronkelende bochel op het dak. De witte balkons, met gaten die op oogkassen lijken, symboliseren de schedels van de slachtoffers van het vreselijke reptiel. De halfronde toren die in de gevel begint, mondt uit in een vorm die op een bol knoflook lijkt (je moet weten dat Catalanen nooit genoeg van knoflook krijgen), met daarop een kruis. Dit is de lans van Sant Jordi, de punt ervan is voorzien van de even heilige als beproefde namen Jezus, Maria en Jozef.

Het dak van Gaudís Casa Milà

Na de oplevering van Casa Battló in 1906 werd het het wondertje van de Passeig de Gràcia en lokte al snel competitie uit. Die kwam van de overkant van de straat, een paar blokken verder heuvelopwaarts, waar een van Batlló's vrienden, een projectontwikkelaar met de naam Pere Milà i Camps, Gaudí opdracht gaf een nieuw gebouw neer te zetten. Casa Milà, zoals het werd genoemd, werd niet op basis van een al bestaand gebouw opgetrokken, maar helemaal nieuw gebouwd. De eigenaar gaf Gaudí de vrije hand. (Intussen was al overduidelijk dat het zinloos

was om Gaudí *niet* de vrije hand bij het ontwerpen te geven; zonder die vrijheid overwoog hij niet eens een opdracht aan te nemen.)

Hij bouwde een stuk zeeklif, met daarin grotten voor de bewoners. De gesmede ijzeren balkons zijn gebaseerd op zeewier en de korstachtige aangroei van koraal. Hoewel La Pedrera ('de steengroeve', zoals Casa Milà al snel werd genoemd) er heel solide uitziet, met enorme uitsteeksels en overstekken als de oogkassen van een cycloop, is het minder stevig dan het lijkt. De indrukwekkende plooien en steunribben zijn nep. Ondanks de dramatische plasticiteit is de buitenkant slechts een schil, en maakt geen deel uit van de dragende constructie, zoals bij echt metselwerk.

Dat maakt Casa Milà een hermafrodiete burcht: aan de ene kant het vrouwelijke aspect – zachte glooiingen, beschuttend, golvend; aan de andere kant de bizarre en daarmee tegenstrijdig lijkende 'bewakers' op het dak, onzichtbaar vanaf de straat. Die zijn zo intens mannelijk dat de kostuumontwerpers van George Lucas de figuren van Darth Vader en de bewakers van de Death Star erop baseerden. Het zijn luchthappende en rookbrakende totempalen, gehelmde centurions die dienstdoen als schoorstenen en luchtschachten voor de appartementen onder hen.

Hoewel bijzonder, haalde La Pedrera het niet bij Gaudís oorspronkelijke idee, iets waar we alleen maar blij om kunnen zijn. Om over Gaudís smaak te discussiëren was, zoals een kennis van hem ooit opmerkte, net zoiets als over de 'smaak' van walvissen te debatteren: iets enorms, ver weg en – uiteindelijk – zinloos. Op sommige gebieden, zoals schilderkunst, leek hij helemaal geen smaak te hebben: de mooiste kleureffecten op zijn gebouwen zijn meestal het werk van Jujol en de schilderijen die Gaudí voorstond waren gewoonlijk van een naargeestige, mierzoete vroomheid.

Hetzelfde gold voor zijn gebruik van beeldhouwwerken. Het is bijna onbegrijpelijk dat een man die enkele van de prachtigste driedimensionale vormen van zijn tijd schiep – want met minder doe je de schoorstenen van Palau Güell of het onvoltooide dak van Casa Milà tekort – zijn werk wilde versieren met de banaliteiten die Gaudí soms in gedachten had. Een treffend voorbeeld hiervan was een gebeeldhouwde allegorie op de heilige rozenkrans (Milàs vrouw heette Rosario) die Gaudí van plan was als bekroning boven op Casa Milà te zetten en die zou uitmonden in een beeld van de Maagd Maria, geflankeerd door de aartsengelen Gabriël en Michael, ruim twaalf meter hoog en in brons – de maagd als reusachtig monster. De kunstenaar die Gaudí hiervoor in gedachten had, was Carles Mani i Roig, wiens banaliteit even deprimerend was als zijn vroomheid diep. Die vroomheid, zo lijkt het, telde het meest voor Gaudí; op dit punt is het lelijke beeldhouwwerk, waarmee het huidige non-genie Josep Subirachs de Sagrada Familia versiert, jammer genoeg geheel conform de geest van Gaudí. Mani i Roig zou La Pedrera hebben veranderd in niets meer dan een wat complexe sokkel voor een enorm, en enorm slecht beeld. Misschien dat Gaudí op dit idee was gebracht door een andere banale dominatrix over de horizon, het Vrijheidsbeeld in de haven van New York.

Dat dit niet doorging was een van de weinige goede dingen die toegeschreven kunnen worden aan de waanzin van kerkbranden en straatgeweld die bekendstaat als de Setmana Tràgica of Tragische Week, die uitbrak in 1909 en de stad op een haar na verwoestte. De uitbarsting begon onder de arbeiders, uit onvrede over de Spaanse koloniale oorlog, maar evolueerde al snel tot antikerkelijke razernij. Het was een herhaling van het Platbranden van de

Kloosters in 1835, maar dan erger, en resulteerde in de verwoesting van zo'n tachtig kerken, kloosters en roomse scholen. Elk gebouw met een katholieke signatuur was een potentieel doelwit van volkswoede en Milà was wijs genoeg om te beseffen dat een appartementencomplex met een gigantische Maagd Maria op het dak niet veel kans had om ongeschonden uit de strijd te komen. Dus ging de opdracht – gelukkig genoeg – niet door.

Nu had Gaudí nog maar één project over, de Sagrada Familia. Hij moest er geld voor inzamelen en moest, min of meer alleen, het werk voortzetten zonder de zekerheid van een werkgever (het was immers geen officieel project van de Kerk). Het werd de obsessie van zijn laatste levensjaren. In de nasleep van de Tragische Week werd de Sagrada Familia voor de dichter en Gaudís vriend Joan Maragall het belangrijkste symbool van wedergeboorte en bovennatuurlijkheid:

Als een reusachtige bloem bloeit een tempel
verbazingwekkend om hier geboren te zijn
tussen zulk ruw en slecht volk
die er om lachen, vloeken, vechten en hun verachting uiten
voor al het menselijke en goddelijke
Toch, tijdens rampspoed, waanzin en rook
groeit en bloeit de tempel (zo kostbaar!),
wachtend op de gelovigen die zullen komen.

De 'tempel voor boetedoening van de Heilige Familie' stond symbool voor geloof en gehoorzaamheid in zijn puurste vorm. Tenminste, dat was de bedoeling. En zo, door overdracht, werd ook Gaudí, die door de Tragische Week in een legendarisch figuur was veranderd, een levend symbool van boetedoening en toewijding.

In Europa waren verenigingen van leken als paddestoelen uit de grond geschoten, vooral in Spanje, om de leer van gehoorzaamheid aan de onfeilbare paus te propageren. Pius IX had onfeilbaar zijn eigen onfeilbaarheid als dogma vastgelegd, daarmee alle gelovigen veroordelend tot het leed van hun doodzonden en daardoor in feite verdoemd tot de hel.

De belangrijkste van deze verenigingen in Catalonië droeg als naam de *Asociación Espiritual de Devotos de San José*. De leden kwamen in 1866 voor het eerst samen in Montserrat, op de heilige berg van de Zwarte Madonna. Ze kozen als honorair beschermheren een reactionair kwartet: Pius IX, de toekomstige koning Alfonso XIII, koningin Maria Cristina en Antoni Claret, een Catalaanse priester die al snel zalig verklaard zou worden. De echte, of dagelijkse leider was Josep Bocabella i Verdaguer, een boekhandelaar en amateur-fluitist (geen familie van de bekende Catalaanse dichter). Bocabella, zo lijkt het, wist erg weinig van architectuur. In het begin werd de bouw van de tempel voor boetedoening toegewezen aan Villar, een vrome, middelmatige architect die vooral gotische revivalontwerpen maakte. Maar Villar nam het volgende jaar ontslag en in 1884 vond de Asociación een andere architect: Antoni Gaudí. De reden dat ze hem kozen, blijft in nevelen gehuld. Hij had maar weinig gebouwd en moest op dat moment nog beginnen aan zijn belangrijkste bouwwerken. Er gaat echter een hardnekkig verhaal, te goed om waar te zijn, dat Gaudí de opdracht kreeg omdat hij zulke helderblauwe ogen had. In een van zijn religieuze visioenen had Bocabella de boodschap gekregen dat de Sagrada Familia ontworpen zou worden door een echte Ariër, een man met blauwe ogen.

Hoe dan ook, Gaudí kreeg, vanaf het moment dat de Asociación hem inhuurde, helemaal de vrije hand. Geen enkele architect kan echter van de opbrengst van één enkel gebouw leven, behalve als hij iets ontwerpt à la het Getty Center. De Sagrada Familia daarentegen was een tempel, betaald door een organisatie die bijna geen cent bezat. Zo ontstond de aura van heilige armoede die nog steeds boven Gaudís naam zweeft. In de latere jaren van zijn leven ging de oude man letterlijk langs de deuren van Sarrià en de Passeig de Gràcia om geld in te zamelen. De aanblik van zijn kortgeschoren grijze kop en zijn versleten zwarte pak zal de bones families van de stad ongetwijfeld angst hebben ingeboezemd. '*Fet aquest sacrifici,*' vroeg hij dan, 'Breng dit offer.' 'Oh nee, meneer Gaudí,' protesteerde het slachtoffer dan meestal, terwijl hij een paar *duros* uit de zak viste, 'het is geen offer, helemaal niet.' 'Zorg dat het een offer *wordt,*' drong de onvermurwbare oude man dan aan. 'Soms is een schenking geen offer. Soms is het niets, behalve ijdelheid. Zorg dat je de juiste keuze maakt.'

Zulke verhalen vallen in de smaak bij Japanse toeristen. Japanners zijn zonder twijfel de meest toegewijde fans van Gaudí. Zij zien Gaudí-san als een soort Zen samurai, als een heroïsche mislukkeling, maar ook als een man met een onmetelijke en bovenaardse morele kracht.

Horden jonge Japanners, voornamelijk architectuurstudenten, komen om aan de Sagrada Familia te werken, net zoals vrome meisjes zich in drommen meldden bij Moeder Teresa in Calcutta om zweren te wassen en wonden te verbinden. Ze hopen, zoals een van hen me toevertrouwde, terwijl hij worstelde met een pinakel van fiberglas, 'doordrongen te raken met de heilige boodschap' van de architect. De ironie is natuurlijk dat niemand precies weet wat Gaudí voor ogen stond. Zijn tekeningen zijn allemaal kwijtgeraakt of verloren gegaan tijdens de Burgeroorlog, zeventig jaar geleden; een feit waarover de Gaudianen onophoudelijk liegen. Sinds de dood van Gaudí bestaat er geen 'echte' Sagrada Familia meer.

Er zal nooit meer een architect als Gaudí opstaan. Evenmin is het waarschijnlijk dat er ooit nog een stemming zal ontstaan – niet in Spanje, in elk geval – die ook maar iets lijkt op de ultraregionale creativiteit die zijn werk zo bepaalde. En je kunt met bijna sluitende zekerheid stellen dat er niet snel een spirituele adviseur zal opstaan zoals Gaudí die had: de bisschop van Vic, Josep Torres i Bages, die vreemde en ultranationalistische katholiek, kogelrond, zo blind als een mol achter zijn jampotglazen, welbespraakt als Ramón Llull en volslagen onbuigzaam op het punt van de doctrine.

Barcelona is te veel veranderd om zulke mensen voort te brengen en dit geldt, ondanks het extreme conservatisme van paus Johannes Paulus ii, ook voor de katholieke Kerk – dat hopen we tenminste. De huidige paus heeft in 25 jaar meer heiligen gecreëerd dan welke paus ook; het moet nog blijken of de conservatieve en nationalistische elementen in de Catalaanse clerus hem over weten te halen om ook Gaudí zalig te verklaren. De schilderkunst heeft een beschermheilige van formaat: niemand minder dan de apostel Lucas. De bouwkunst heeft er geen. Misschien wordt het tijd dat ze die krijgt, omdat het, zoals een Catalaan verrukt bij dit vooruitzicht opmerkte: 'iets prachtigs zou zijn, omdat iedereen dan architect wil worden'. Maar misschien ook niet: de waarde van heiligverklaring is sleets vandaag de dag, vooral sinds Johannes Paulus II recentelijk tot ieders verbazing de Mexicaan Juan Diego zalig verklaarde, voor wiens bestaan – laat staan zijn persoonlijke zaligheid – geen snipper, jota of tittel aan bewijs te vinden is.

Gaudí daarentegen bestond wel, maar het zou belachelijk zijn om hem als grondlegger te willen zien van een 'traditie' van architectonisch ontwerp. Elk nieuw gebouw dat een relatie met Gaudí suggereert is automatisch gedoemd om op niets anders dan een imitatie te lijken. Toch lijdt het geen twijfel dat door Gaudí de hedendaagse aandacht vooral op de Catalaanse bouwkunst is gericht (en veel minder op de muziek, schilderkunst of dichtkunst), die daarmee na zijn dood de representatieve kunstvorm voor Barcelona is geworden. Dit onderscheid bleek vooral belangrijk in de late jaren tachtig, toen Barcelona werd uitverkoren tot gaststad van de Olympische Spelen van 1992.

Olympiades gaan in de regel gepaard met een hoop kletspraat over hoe ze de gaststeden helpen met stedelijke herinrichting, hoe de steden permanent in de belangstelling van de wereld zullen blijven, en ga zo maar door. Dit is zelden het geval. Wat architectuur betrof was Melbourne noch Sydney beter af na de spelen in 1956 en 2000. En de jaren 1976 en 1996 lieten niets van gedenkwaardige kwaliteit na in Montreal, of in het banale Atlanta.

Maar voor Barcelona waren de ophanden zijnde Olympische Spelen van 1992 het startsein voor de grootste operatie van slopen, bouwen, wegen omleggen, reconstrueren, schoonmaken, restaureren en stedenbouwkundig denken in het algemeen die de stad in honderd jaar, sinds de bouw van de Eixample, had meegemaakt. Het was een keerpunt en het stadsbestuur greep slinks de gelegenheid aan om rijksgelden aan te wenden voor lokale verbeteringen; ingrepen die hard nodig waren, maar die onder normale omstandigheden nooit door Madrid zouden zijn betaald.

Je zou een dik boek nodig hebben (die zijn er genoeg, meestal uitgebracht door het Ajuntament, en in de geest van onophoudelijke borstklopperij) om in detail te beschrijven welke veranderingen dit inhield voor de structuur van de stad. De veranderingen lopen uiteen van regeltjes om de oude art nouveau-straatnaambordjes te beschermen, tot de aanleg van enorme verbindingswegen zoals de Ronda de Dalt boven de stad, of de Ronda del Litoral langs de kust. Een stuk kustlijn van kilometers lengte ten noorden van de stad, eens een wildernis vol roestende spoorlijnen en verlaten industrie als achtergrond voor een kuststrook waar niemand kwam, werd opgeruimd, platgegooid en veranderd in een mooi strand: van braakliggend terrein tot A-locatie in één pennenstreek.

Het oude Barcelona grisa, het grijze Barcelona, had enkele echt schofterige streken van omgekeerde stadsontwikkeling uitgehaald; het stuk oever van de Ramblas naar Barceloneta was verwaarloosd, hier en daar bijna een sloppenwijk, maar onder leiding van architect Oriol Bohigas veranderde het stadsbestuur het in een elegante promenade, de opnieuw bedachte Moll de la Fusta. Het enige zware verlies aan de kustlijn (en dit is echt een serieus gemis) is het verdwijnen van de charmante, krakkemikkige restaurants op palen geweest, die vanaf het strand de zee inliepen en waar je sublieme *parillades* en paella's, kommen *sopa de mariscos* en borden vol van die vreemd uitziende maar heerlijke *percebes* of eendenmosselen kon eten – gerechten die overal in de stad in goede kwaliteit zijn te krijgen, maar die een speciale bijsmaak kregen door de mengeling van blauwe oliewalm, de zware knoflooklucht van *all i oli* en de onwelriekende briesjes vanuit de haven.

Degenen die de nieuwbouw in Barcelona bepaalden, voelden zich niet beperkt tot het kiezen voor Catalaanse architecten. De enorme, nieuwe zendmast die ruim honderdtachtig meter omhoogschiet vanaf de Collserolabergrug achter de stad, een fantastisch en schitterend ding vol parabolische stalen antennes die ontspruiten aan een betonnen stam, is derhalve het werk van de Britse architect Norman Foster. De krachtige koepel van het Palau Sant Jordi-stadion, nu de belangrijkste plaats voor binnensporten in Barcelona, is ontworpen door de Japanner Arata Isozaki. Deze en andere Olympische bouwwerken verlenen de stad nog steeds uitstekende diensten.

Andere projecten oogstten minder bewondering. Pasqual Maragall, afstammeling van de grote Catalaanse dichter en destijds burgemeester van Barcelona, was niet ongevoelig voor sterrenstatus en hoopte dat hij met de nieuwbouw de stad tot een gewichtige anthologie voor de bouwkunst zou maken. Toegegeven, hij en zijn belangrijkste adviseur Oriol Bohigas brandden hun vingers niet aan sommige trendy architecten van de jaren tachtig, zoals Michael Graves of die Bernini van Disneyland, Robert A. M. Stern. Maar hij was onder de indruk, en niet ten onrechte, van Richard Meier, die in 1984 zojuist de zeer prestigieuze Pritzerprijs in de wacht had gesleept – voor architectuur in betekenis vergelijkbaar met een Nobelprijs. Meier kreeg daardoor de opdracht om een nieuw Museu d'Art Contemporani (museum voor hedendaagse kunst) te ontwerpen, dat in de Raval gebouwd zou worden – een oude, vervallen wijk achter de Ramblas en het Liceu – als symbool voor de toekomstige renovatie. Helaas, en zeker niet kenmerkend voor Meier, was het ontwerp een mislukking. Misschien vond hij het moeilijk om zich te concentreren, met het ontwerpen van het Getty Center als enorme last op zijn schouders. De collectie van Barcelona's museum voor hedendaagse kunst was om te beginnen al middelmatig en in Meiers gebouw kwamen de kunstwerken niet tot hun recht, met een slechte verlichting en een ruimtelijke indeling die nog maar net coherent genoemd mag worden.

De ergste aanbestedingsfout was evenwel de renovatie van het Palau Nacional op de Montjuïc, dat een onvergelijkbare collectie Romaanse fresco's huisvest. De renovatie werd uitgevoerd door de Italiaanse architecte Gae Aulenti, bekend om haar erg gekunstelde werkwijze en twee decennia geleden meer en vogue dan nu. De critici – die zich herinnerden wat een gekunsteld zootje ze had gemaakt van de verbouwing van een oud station tot het Musée d'Orsay in Parijs – wachtten de heropening met angst en beven af. Ze werden niet teleurgesteld.

Nog voor de opening had ik al kennis kunnen maken met dit opzichtige en overgedetailleerde gebouw, waarvan de enorme, gewelfde ovale hal voor speciale gelegenheden het meest in het oog loopt. Deze keer zou daarin een aantal cultuurprijzen worden uitgereikt, iets wat – weinig verbazingwekkend – niet zou gebeuren toen de Olympische Spelen in Atlanta of Sydney werden gehouden. Het waren genereuze prijzen, ongeveer vijf miljoen peseta's (vijftigduizend dollar) elk, bestemd voor uitmuntende figuren op gebieden als visuele kunst, muziek en literatuur. Ze zouden worden uitgereikt door koning Juan Carlos, die vergezeld zou gaan van zijn dochters, van wie de oudste bekendstond als Infanta en de jongere, op grond van haar omtrek, de onvriendelijke bijnaam Elefanta had verworven.

Maar er was een probleem en dat leek niet uit zichzelf

weg te gaan. Aulenti's bouwploeg had tijdens het slopen en opnieuw inrichten van het interieur van deze gigantische hal de ramen open gelaten en zo waren tientallen duiven binnengekomen. Ze hadden nesten gemaakt tussen de dikke kraagstenen – je kon het stro en de twijgjes zien – fladderden onaantastbaar onder de koepel en waren niet van zins te vertrekken. Met de vogels nog steeds in de koepel werd de renovatie afgerond.

Een week voor de uitreiking, toen ik op bezoek was bij het Ajuntament, kwam ik Margarita Obiols tegen, van wanhoop in haar handen wringend. (Margarita's momenten van wanhoop zijn zeldzaam en kortstondig, maar tijdens zo'n aanval klinkt en gedraagt ze zich als Judith Anderson in de rol van Medea.) Wat was er in vredesnaam aan de hand? '*Coloms*,' zei ze, 'die verdomde duiven. Ze zullen de koning en de *infantas* onderschijten en we hebben geen idee hoe we ze nog voor de ceremonie kunnen verjagen.'

Ik moest aan Crystal Palace in Londen denken, dat wondertje van Victoriaanse bouwkunst, en hoe zich daar vlak voor de opening in 1854 hetzelfde probleem had voorgedaan: het was vergeven van de vogels, die niet afgeschoten konden worden omdat rondvliegende hagel de ruiten kapot zou schieten. Zoals bekend, had koningin Victoria dit probleem geschetst aan de oude graaf van Wellington, en hij had geantwoord: 'Torenvalken, *ma'm*!' Maar geen torenvalk, noch een andere geschikte roofvogel was te vinden bij de verenigingen van vogelbezitters in Barcelona.

We namen dus maar genoegen met het – minder goede – tweede plan. Met een paar scherpschutters (ik wilde Olympisch niveau, maar we moesten genoegen nemen met doodgewone, op vogels jagende journalisten als ikzelf), zou ik in de koepel omhoogklimmen en we zouden over de richels en ladders schuifelen tot we de vogelnesten genoeg genaderd waren om de duiven met luchtbuksen af te schieten. Als we misten, zouden de kogeltjes in elk geval de tierlantijnen van geverfd pleisterwerk niet beschadigen. Na een lange klimpartij, met onze harten bonzend in onze keel (dat van mij tenminste wel), bereikten we onze schietposities boven in de koepel en, smerig van het stof en de duivenstront, maakten we ons klaar om de vogels af te schieten. Ze bleken gemakkelijk te raken, maar verbazingwekkend moeilijk te doden. Duiven zijn sterker dan je denkt en met zulke zwakke luchtbuksen moest je ze wel in de kop raken. Na een hele ochtend hadden we gedrieën, als ik het me goed herinner, niet meer dan tien grijze verenbundeltjes naar de kalkstenen vloer doen dwarrelen, waar ze meteen door de werkmensen werden opgeruimd. Die namen ze mee naar huis, waarschijnlijk voor het avondeten. Ze hadden wellicht gerekend op een grotere buit.

Moe van de vruchteloze activiteit en hard niezend, besloten we te stoppen en klommen naar beneden, de duivenpopulatie van het Palau min of meer voltallig achterlatend. We moesten naar buiten klimmen door een deur die uitkwam op de buitenring van de koepel, hoog boven de grond. Luid klapwiekend kwam een helikopter van achter de koepel aanvliegen, de open zijdeur zwart van de geüniformeerde veiligheidsmensen, behangen met automatische wapens. Wat ze zagen, realiseerde ik me met een angstig voorgevoel, was niet een drietal stoffige journalisten met belachelijke .177-kaliber luchtbuksen. Nee, helemaal niet. Ze zagen drie Baskische terroristen, op zoek naar een goede plek om de koning van Spanje en zijn familie te vermoorden.

Later, veel later, en na veel praten, kwamen we vrij uit die hachelijke situatie, maar het was op het nippertje. Tijdens de ceremonie had geen van de Catalaanse duiven het lef om over het koninklijke podium te vliegen, dus de dag was gered. In een van de kranten die verslag deed van de speech die ik in het Spaans en Catalaans hield om de koning namens de prijswinnaars van de culturele olympiade te bedanken, werd ik omschreven als 'een geschoren Hemingway'. De journalist zal daarmee niet naar mijn schrijfstijl hebben verwezen en ik geloof ook niet dat hij zinspeelde op mijn deplorabel schamele vaardigheden als *Great White Hunter*.

De wereld van Gaudí en Torres i Bages is nu onomkeerbaar verdwenen en hetzelfde geldt voor het Catalonië dat ze zo waardeerden. Wat veegde hun wereld van de kaart? Waardoor verdween het oude Catalaanse nationalisme?

In één woord: migratie. Tot pakweg 1920 hadden de Spanjaarden niet echt de neiging om te verhuizen naar andere plekken op hun schiereiland. Een Andalusiër bleef in Andalusië, een Galiciër bleef in Galicië. Deze regionale loyaliteit veranderde toen in sommige gebieden meer en beter werk te vinden was. Het geïndustrialiseerde Catalonië veranderde hierdoor dramatisch. In de twintigste eeuw is de streek voortdurend veranderd door opeenvolgende golven van immigratie. Natuurlijk heeft Barcelona de grootste Catalaanse gemeenschap van alle Spaanse steden, vooral door de enorme interne migratie die Catalonië in de laatste helft van de negentiende eeuw onderging, toen de mensen *en masse* het platteland voor het industriële werk in de steden verruilden. Spanje's eerste industriële proletariaat was derhalve in essentie Catalaans.

Maar rond 1920 en later, tijdens de industriële groeiperiode in de jaren vijftig en zestig, kwamen honderdduizenden andere Spanjaarden naar Barcelona: vanuit Galicië, Murica, Aragon, Extremadura en Andalusië. Ze kwamen als eerste terecht in de Raval, die afgetrapte, armoedige en raciaal gemengde wijk achter de Ramblas. Daarna slokten ze bestaande dorpjes aan de rand van Barcelona op, zoals Santa Coloma de Gramenet. Ze verspreidden zich over verder gelegen gebieden, waarvan niemand enkele jaren daarvoor had vermoed dat de stad zich erheen zou uitbreiden: Torrent Gornal, Verdum, Bellvitge, La Guineneta – plaatsen waar toeristen nog nooit van gehoord hadden, laat staan dat ze er waren geweest. Ze vulden Barcelona met onbekende geuren en kleuren, maar wat eruit voortvloeide was niet allemaal even fleurig. Het meest voor de hand liggend was om de immigranten van de overkant van de zoute plas, vooral die uit het Midden-Oosten, de schuld te geven van de explosie van misdaad op straat en de nachtmerrie van drugsgebruik, die volgens Catalanen onvermijdelijk werden toegeschreven aan de gehate *xarnegos*, de smerige bruinjoekels van buiten.

Barcelona is een erg grote stad, met ongeveer vier miljoen inwoners, een aantal dat nog elke dag toeneemt. Met meer Catalanen dan in elke andere stad in Spanje heeft Barcelona ook de op een na grootste Andalusische populatie: en hetzelfde geldt voor de andere bevolkingsgroepen. (Voor de Andalusische *Feria de Abril* of aprilmarkt komen honderdduizenden in het noorden woonachtige zuiderlingen samen in Barcelona om *fino* te drinken en flamenco te spelen.)

De maatschappelijke effecten van deze instroom van migranten zijn volstrekt onomkeerbaar. Was Barcelona een eeuw geleden een vastgeroeste en exclusieve stad als het ging om de perceptie van nationaliteit en cultuur, nu is ze met trots multicultureel, vrijwel overal en de hele tijd, meer nog dan elke andere Spaanse stad behalve Madrid. Er is geen onderscheid in bloed of ras wie een Catalaan is en wie niet. Het simpele feit dat je Catalaan bent verleent je geen rechten of privileges in Catalonië. De wettelijke definitie is er ruim: 'De politieke status van Catalaan' behoort aan alle Spaanse burgers toe die ingeschreven staan als inwoner van Catalonië. Gaudí zou dit absurd tolerant hebben gevonden.

Catalanen zijn er, zonder twijfel, nog steeds erg trots op om Catalaan te zijn. Maar de onderscheidende kenmerken zijn verschoven, langzaam maar onvermijdelijk. Torres i Bages en menig andere conservatief vond het honderd jaar geleden bijvoorbeeld nog ongepast als Catalanen extreem enthousiasme toonden bij stierengevechten. De corrida, vonden ze, was een 'Afrikaans', onchristelijk schouwspel, alleen geschikt voor moros. Goede Catalanen zouden in plaats daarvan hun hoogste waardering moeten bewaren voor de lokale *castellers*. Een *castell* is een menselijke piramide die wordt gevormd door gespierde *xiquets*, kerels uit je eigen dorp of streek, die op elkaars schouders staan in een reeks ringen, met als spits een jong, lichtgewicht jongetje of meisje dat langs de kluwen mannen omhoog klimt en triomfantelijk wiebelend het hoogste punt vormt. Het was altijd een van de populairste volkssporten, een demonstratie van evenwicht, teamgeest en samenwerking én een bewijs van seny, het gezond verstand, dat de Catalanen traditioneel als een grote deugd zien.

Er zijn nog steeds castellers in Catalonië en het is prachtig om ze in wedstrijdverband te zien, maar de grote, verbindende sport is noch castells bouwen, noch stierenvechten natuurlijk (hoewel de stad twee arena's telt), maar iets dat de stad deelt met de rest van Spanje – een niet te lessen dorst naar *fútbol*. De Fútbol Club Barcelona werd in 1899 opgericht door een Zwitserse liefhebber van het spel en in de eeuw die volgde groeide de club met ongelooflijke kracht en werd daarmee het meest extreme en krachtige voorbeeld van Barcelona's manie voor clubs en elke andere soort collectieve activiteit, van volksmuziek tot duivenmelken.

De Fútbol Club Barcelona – kortweg Barça – heeft zijn thuisbasis in Camp Nou ('nieuw veld'), een stadion dat met gemak plaats biedt aan honderdduizend toeschouwers en dat in 1957 vlak aan de Diagonal werd gebouwd, een van de grote toegangswegen. De clubkleuren zijn rood en marineblauw, een krijgsbanier dat inmiddels bijna even geliefd is als de traditionele quatres barres, de vier rode strepen van het geronnen bloed van Wilfredo de Harige die Lodewijk de Vrome trok op een geel schild. De strijdkreet, die in lovenswaardige eenvoud luidt: Barça! Barça! Barçaaaaaaa! en het clublied, geschreven in 1974, zijn al bijna volksliederen geworden, maar wel voor een natie van immigranten en niet zozeer voor de traditionele bewoners van de vallei:

Wat maakt het uit waar we vandaan komen,
Uit het noorden of het zuiden,
We zijn het allemaal eens, we zijn het allemaal eens,
We zijn broeders onder die ene vlag.

Catalanen vinden Barcelona de boeiendste stad van Spanje – en met recht. Maar slechts weinigen denken dat ze een bepaalde morele voorsprong hebben door er te wonen. Barcelona is uitgegroeid tot een echte multiculturele stad, zonder de vage bijbetekenissen (of de lichte, maar onmiskenbare teneur van middelmatigheid) die in de Verenigde Staten aan het woord 'multicultureel' zijn gaan kleven. Niet alle multiculturele trekjes vallen in de smaak. De Barcelonezen schamen zich zelfs een beetje voor sommige daarvan, zeker nu Barcelona door gretige Ameri-kaanse journalisten wordt aangeprezen als nieuwste en hipste Europese reisbestemming. Maar goed. De stad mag zijn fouten dan niet overstijgen, compenseren doet ze die wél. Misschien heeft ze dat altijd al gedaan. 'Je bent op-schepperig, verraderlijk en vulgair,' schreef Joan Maragall in de laatste regels van zijn 'Ode aan Barcelona'. Maar hij vervolgt met een uitbarsting van smoorverliefde loya-liteit. 'Barcelona! En met jouw zonden, de onze, de onze! Ons Barcelona, de grote verleidster!' Dit is nog altijd meer dan waar.

In het voorjaar van 2003 hield Doris haar eerste, eigen ex-positie met aquarellen van botanica, een onderwerp en techniek waarin ze nog steeds uitblinkt. De expositie werd gehouden in een oude en gerenommeerde galerie, de Sala Pares in het casc antic ofwel het middeleeuwse deel van Barcelona, op een paar minuten lopen van het Ajuntament, waar we iets meer dan een jaar en twee kerst-missen geleden, waren getrouwd.

We vlogen tourist class vanaf New York, het vliegtuig volgepropt als een blikje sardines: een bezoeking voor een 64-jarige man wiens rechterbeen nog steeds niet was ge-nezen van de vijf botbreuken, vier jaar eerder opgelopen bij een auto-ongeluk. Maar het vooruitzicht in Barcelona aan te komen maakte een hoop goed. Wat telde, was dat ik weer op weg was naar mijn meest favoriete stad van Europa, of van de hele wereld. Voor de twintigste keer? De dertigste? Ik was de tel kwijtgeraakt, al lang geleden.

Je mag jezelf gelukkig prijzen, als je na je geboorteplaats een tweede stad ontdekt die je het gevoel geeft dat je er helemaal thuis bent... Je hoeft je geboorteplaats niet als thuis te ervaren, op die manier denk ik zeker niet over Sydney. Ik zou het jammer vinden als ik de talrijke blauwe inhammen van de haven nooit meer zou zien, maar ik weet (voor zover iemand door zijn prisma van verlangen de toekomst kan zien) dat ik er nooit meer zal wonen, dat ernaar terugkeren voldoening noch avontuur zal schenken. Het is te ver weg, van mij tenminste. Waarom zou je vaderlandsliefde vast moeten liggen vanaf het moment dat je een foetus was? Ik behoud me het recht voor om te kiezen waar ik van hou, steden incluis. Je hoeft je afkomst niet te repudiëren (dat doe ik zeker niet), maar je moet omarmen wat je prefereert. Veertig jaar geleden had ik dat geweldige geluk: Barcelona en, nog beter, een onophoudelijke introductie tot die stad door mensen die nog steeds mijn beste vrienden zijn.

Gesloopt door de vlucht stortten Doris en ik neer op ons bed in Hotel Colón, met uitzicht over het plein voor de Kathedraal. (We hoopten nog een paar uur te kunnen slapen, vóór de lunch op zaterdag, die ons opnieuw zou slopen en waardoor we in een diepere slaap zouden wegzakken, voordat we gingen eten bij Xavier Corberó, wiens glasaaltjes met gedroogde rode pepers in kokende olie en de daarop volgende paella ons uiteindelijk in een staat van volledige bewusteloosheid zouden brengen.) Colón is de Catalaanse naam voor Columbus. Menig Catalaan is ervan overtuigd, bijna als een geloofsartikel, dat Christopher Columbus in werkelijkheid een Catalaan was en niet uit Genua afkomstig was: een overtuiging die met geen kruimeltje bewijs geschraagd kan worden, maar dat heeft Catalanen nooit weerhouden om in iets te geloven wat bijdraagt aan hun naam en faam. Veel Catalanen geloven tenslotte ook dat het een onbekend gebleven landgenoot van hen was, die eeuwen geleden als eerste mens op de hele aarde op het idee kwam om een in tweeën gesneden, rijpe tomaat over een snee brood te wrijven, waarmee de uitvinding van *pa amb tomàquet*, vaste prik in de Catalaanse keuken, een feit was. Vergeleken met de uitvinding van zo'n fundamenteel gerecht is de ontdekking van Amerika niet zo'n buitenaardse prestatie.

We sliepen. De ochtendzon kroop in lichte, boterkleurige vlekken over het tapijt. Langzaam werden we gewekt door muziek, die vanaf het plein voor de Kathedraal opsteeg. Niet het agressieve gescheur van rock of het domme gebonk met het ratelend jargon van rap (tegenwoordig favoriet onder Catalaanse tieners). De muziek, ongelooflijk mooi, repeterend en toch met subtiele variaties, sijpelde de kamer binnen.

Hobo's en kornetten, geen strijkers, onversterkt. 'Weest niet bevreesd: dit eiland is vol geluiden / Klanken en zoete luchten, die verrukken en geen pijn doen.' De Catalanen dansten hun nationale dans, de *sardana*. Ze waren spontaan in kringen van acht, tien, tot zelfs twintig mensen gaan staan en hielden elkaars handen vast. In het midden van elke ring lag een bergje jassen, hoedjes en boodschappentassen gedrapeerd, zodat de dansers hun bezittingen in de gaten konden houden.

Hun bewegingen waren statig en minimaal. Ze sprongen niet op en neer, maar schuifelden, zodat ook de ouderen het bij konden houden. Wat de sardana uitbeeldt, is samenwerking. Het is een dans voor burgers. Er is geen plaats voor individuele virtuositeit en nog minder voor zelfverheerlijking. (Als je dat wilt zien: het plein voor de Kathedraal is meestal vergeven van de skateboarders.) De sardana is voor iedereen, voor kinderen en tieners, voor oud en grijs, langzaam en gehandicapt, dik en broodmager, elegant en sjofel. Hij brengt families en vrienden samen, in tederheid, zonder een spoortje ironie. De dans is een perfecte expressie van gedeelde welwillendheid, en heerlijk om te zien. We keken toe, verrukt. Doris en ik voelden ons erg ver verwijderd van New York – en dat waren we ook.